geschreven

# BILLY

Phil Earle

# Billy

Callenbach

Eerder uitgegeven door Penguin Books onder de titel *Being Billy*
© Phil Earle 2011

Vertaling naar het Nederlands: Hilke Makkink
© Uitgeverij Callenbach – Utrecht, 2013
www.uitgeverijcallenbach.nl

Omslagontwerp Lenaleen, Bilthoven
Vormgeving binnenwerk ZetSpiegel, Best
ISBN 978 90 266 0900 8
ISBN e-book 978 90 266 0902 2
NUR 285

# Proloog

Het licht in de gang verraadt het.

Elf uur 's avonds en nog altijd aan. Waren ze thuis geweest, dan zouden ze allang in bed liggen en zou het licht uit zijn.

Nee, dit betekent dat ze er echt niet zijn. Zelfs na een bezoek aan de pub zouden ze nu allang thuis geweest zijn. Morgen weer vroeg op en zo.

Zo onopvallend mogelijk hol ik richting de voordeur, de steen klaar in mijn hand. Maar eenmaal bij de deur aangekomen, besluit ik om eerst de sleutel te proberen. Geen idee waarom. Het is tenslotte al jaren geleden, dat ik hier voor het laatst geweest ben. Ongetwijfeld hebben ze de sloten inmiddels allang vervangen. Het zijn geen mensen die onnodige risico's nemen, zoveel is me destijds wel duidelijk geworden.

Dus als de sleutel zich laat omdraaien in het slot, ben ik dan ook behoorlijk verbaasd.

Snel leg ik de steen terug in de tuin en stap naar binnen, waarna ik de deur achter me sluit.

Met gesloten ogen leun ik tegen de muur en luister.

Maar afgezien van het tikken van de klok en het zoemen van de koelkast – totale stilte.

Dit is meer dan perfect. Ik schop mijn gympen uit en loop de gang door, ontdek met een glimlach de timer op de lamp.

Even steek ik mijn hoofd om de deur van de keuken en eetkamer.

Er is niets veranderd. Het lijkt wel alsof de tijd drie jaar geleden stil is blijven staan en pas weer is gaan tikken, nadat ik de voordeur daarnet achter me gesloten heb.

Aangekomen bij de woonkamer aarzel ik even, als mijn hand de deurknop aanraakt. Iets weerhoudt me ervan, hier naar binnen te gaan. Herinneringen waarschijnlijk. Er is te veel gebeurd in deze kamer, te veel slechte dingen.

En dus draai ik me om naar de trap en sluip naar boven, waarbij ik mijn hoofd laag houd, zodat ik niet te zien ben door het raam op de overloop. Je weet tenslotte maar nooit wie er vanachter zijn gordijnen staat te kijken, ook al is het dan midden in de nacht.

Eenmaal boven aarzel ik geen moment.

Ik weet waar ik heen wil.

Waarom ik hier ben.

Ik sluip langs de foto's van Jan en Grant, die hier nog altijd aan de muur hangen, langs de goedkope, smakeloze posters waar ze zo van houden, naar de slaapkamerdeur.

Zonder te pauzeren duw ik de deur open en plotseling lijkt het alsof al mijn zintuigen in brand staan.

Hoewel niets in de kamer meer hetzelfde is, voelt het toch nog precies hetzelfde. Voelt het nog altijd alsof het mijn kamer is.

De posters zijn weg, natuurlijk, er is alleen nog hier en daar vaag te zien waar ze ooit gehangen hebben. Typisch Grant, die maakt een karwei nooit helemaal af.

Alles is neutraal. Het beddengoed, de gordijnen, zelfs de vloer-bedekking, allemaal een saaie kleur beige. Het is alsof het volko-men nietszeggend maken van alles de enige manier geweest is om mijn aanwezigheid helemaal uit de kamer te verdrijven. Een blanco canvas.

Het maakt niet uit. Ik weet waar ik ben. Wanneer ik mijn ogen dicht doe, zie ik nog steeds de foto van het City-team boven mijn bed hangen. Hoor ik nog steeds de muziek vanaf de vensterbank dreunen. Ruik ik nog steeds de overheersende geur van Lynx deodorant.

Ik glimlach, terwijl ik me op het bed laat vallen en op het mo-ment dat mijn hoofd het kussen raakt, voel ik hoe de eerste kno-pen in mijn maag verdwijnen.

Langzaam, heel langzaam, verdwijnt de ene na de andere knoop. Ik voel hoe de spanning uit mijn lichaam verdwijnt, als een mist die optrekt. Ervoor in de plaats komt helderheid, en voor het

eerst in maanden, jaren misschien wel, laat ik de slaap toe zonder
me ertegen te verzetten.
Omdat ik weet waar ik ben.
Weet dat ik veilig ben.
Weet dat ik thuis ben.

# 1

Ik had kunnen weten dat ze de politie zouden waarschuwen zodra duidelijk werd dat ik verdwenen was. Maar helaas realiseer ik mij dit pas op het moment dat ik met mijn gezicht op de vloer en met mijn armen langs mijn lichaam gepind in de gang lig.

'Jullie genieten hier echt van, hè?' snauw ik naar ze. 'Is dit wat jullie doen wanneer je dienst erop zit, puur voor de lol kinderen tackelen?'

'Wanneer je denkt dat we dit leuk vinden, Billy, dan heb je het toch echt mis,' zegt de Kolonel met gespannen stem. 'Zodra je een beetje gekalmeerd bent, zullen we je maar wat graag laten gaan. Maar zolang je nog zo boos bent, kunnen we niet anders dan je vasthouden. Voor je eigen bestwil.'

Ik ken de procedure, heb dit in de afgelopen acht jaar vaker meegemaakt dan ik me kan herinneren, maar wil nog niet kalmeren. Pijn wil ik ze doen, op wat voor manier dan ook.

Hoe dan ook.

Dus ga ik rustiger ademhalen, waardoor mijn spieren meteen ontspannen. Eerst blijft hun grip nog stevig, houden ze mijn polsen en enkels nog tegen de vloer, maar na zo'n halve minuut voel ik hoe de druk op mijn linkerarm afneemt.

Het is niet de Kolonel. Die kent me te goed. Die zou het nog wel wat langer volhouden.

Nee, dit is de tweede man, die nieuwe vent, met z'n mooie sociale praatjes en z'n zogenaamd vriendelijke glimlachjes.

Hij maakt de fout om te dichtbij te komen, zich naar voren te buigen, zodat hij me aan kan kijken, op me in kan praten.

Fout.

Instinctief spuug ik naar hem. Niet heel veel. Ik kan veel beter.

Maar genoeg om hem midden in zijn gezicht te raken, net wanneer hij wat wil gaan zeggen.

Die heeft hij niet aan zien komen, maar de Kolonel is niet onder de indruk.

Terwijl het groentje vol afgrijzen achteruit deinst, wordt mijn arm meteen ruw op mijn rug getrokken, waardoor mijn hoofd noodgedwongen weer op de grond terechtkomt.

'Zo kan die wel weer, Billy!' roept hij in mijn oor.

'Zeg die eikel dan dat hij uit mijn buurt moet blijven. Ik heb geen behoefte aan die schoolse praatjes van hem.'

Ik voel hoe mijn arm verder op mijn rug gedraaid wordt.

'Leren ze je deze beweging in het leger, Ronnie?' hijg ik. 'Fijn om te weten dat je blijkbaar een goede soldaat was, want als verzorger stel je maar weinig voor.'

'Bedankt, Bill.' Hoewel ik hem niet kan zien, weet ik dat hij behoorlijk staat te zweten. 'Dat is zo'n beetje het aardigste dat je ooit tegen me gezegd hebt.'

'Graag gedaan.'

De Kolonel heeft blijkbaar niet de behoefte om nog meer complimentjes uit te wisselen; hij moet duidelijk even op adem komen.

En, om heel eerlijk te zijn, heb ook ik er de puf niet meer voor. Ik heb mijn punt gemaakt bij die nieuwe klojo en daar is het me om te doen geweest.

Ik blijf met mijn hoofd op het linoleum liggen, ruik het ontsmettingsmiddel, dat Ronnie overal gespoten heeft, voordat de andere kinderen wakker worden. Je kunt een man uit het leger halen, maar je kunt het leger nooit uit de man halen (zijn woorden, niet de mijne).

En zo lig ik daar dus, balend van mijn vergissing.

Ik had moeten weten dat, van alle verzorgers in het tehuis, Ronnie degene was die de moeite zou nemen om te checken of ik wel in mijn bed lag.

De anderen doen die moeite nooit. Wanneer wij eenmaal op onze kamers zijn, zijn ze altijd maar wat blij dat ze weer verder kunnen met hun schaakspelletje van de vorige nacht, dat ze de fles wijn leeg kunnen drinken, die ze naar binnen gesmokkeld hebben.

Maar Ronnie is anders. Niets ontgaat hem, wanneer hij dienst heeft. Alles wordt met de grootste precisie gedaan, zoals hij dat destijds in de barakken geleerd heeft.

*Alles zoals het hoort en alles op zijn plek.*

Hij is de Kolonel, een soort levende legende, gehaat door iedereen, inclusief de rest van het personeel.

En het trieste is, hij komt nog het meest in de buurt van een ouder voor mij.

'Wanneer je gekalmeerd bent, Billy, dan laat ik je los,' puft Ronnie. 'Maar wanneer je zo agressief blijft doen, dan zitten we hier voorlopig nog wel even.'

'Ik ben niet degene die op de rug van een veertienjarige zit, dus wie is hier nu agressief? Ik toch echt niet, eikel.'

Hij slaakt een dramatische zucht.

'Billy, hoe vaak moet ik dit nog zeggen. Ik doe dit niet voor de lol. De reden dat ik je vasthoud, is heel eenvoudig. Je vormde een bedreiging. Voor de andere kinderen, voor mij en voor de rest van het personeel, en belangrijker nog voor jezelf. Jij kwam hier naar binnen, nadat je twaalf uur lang verdwenen was, een en al woede. Het enige wat wij deden, was vragen waar je geweest was. En dat is in mijn ogen toch echt geen reden om een glas naar mij te gooien. We maakten ons gewoon zorgen om je.'

Ook alleen maar omdat jij toevallig net dienst had, denk ik bij mezelf.

Het was natuurlijk nooit leuk wanneer ze op kantoor te horen kregen dat een van de kinderen er tijdens jouw dienst vandoor gegaan was. Vooral niet wanneer ik dat kind was. Daarmee scoorde je zeker geen punten.

'Maar nu ben ik er toch weer? Klaar om iedereen blij te maken, voordat jouw dienst er weer opzit.'

'O, maar ik ben voorlopig nog niet weg, hoor. Dankzij jouw verdwijning moet ik eerst nog heel wat papierwerk wegwerken. Ik moet de politie op de hoogte brengen, jouw maatschappelijk werker. Een rapport schrijven over dit incident. En aanstaande vrijdag is jouw geval ook weer aan de beurt om beoordeeld te worden, mocht je dat vergeten zijn. Aan mij de schone taak om jou weer ergens permanent geplaatst zien te krijgen. En dat zal niet makkelijk worden, vriend, absoluut niet makkelijk.'

Het restje vechtlust dat ik nog heb, verdwijnt bij het horen van het gevreesde 'B'-woord.

Beoordeling.

De meest gehate dag van het jaar voor tehuiskinderen zoals ik.

Een gelegenheid waarbij je door een kamer vol vreemden voorgelogen wordt.

Een gelegenheid waarbij je leven voor je uitgestippeld wordt door mensen die daar alleen maar zitten omdat ze ervoor betaald worden.

Een lachertje dus, net als de rest van het leven in de opvang. Een slechte grap.

'In dat geval stel ik voor dat je mijn arm nu los laat, dan kun je alvast beginnen. Het schrijven van dat rapport zal namelijk ook niet één twee drie gebeurd zijn. Voor een mooi verhaal moet tenslotte tijd uitgetrokken worden.'

Ronnie zucht weer dramatisch.

'Billy, het zal niet anders zijn dan al die *vele* eerdere rapporten die ik over jou geschreven heb. En het zal mede ondertekend worden door Pete hier –' Meneer de Gediplomeerde knikt wijs – 'en ook jij mag het lezen, zoals je alles in jouw dossier mag lezen, mocht je een afspraak willen maken.'

En dan laat Ronnie mijn arm los en doet een stap achteruit, snel genoeg, merk ik, om aan een eventuele lastminute-uithaal te ontkomen.

Alsof ik daar nu nog zin in heb.

'Ik sta nu niet bepaald te springen om het te lezen, Ronald.' Met een verbeten gezicht wrijf ik over mijn sleutelbeen. 'Misschien wacht ik wel tot alles gepubliceerd is, wat dacht je daar van?'

Blij met het laatste woord loop ik richting de trap en de privacy van mijn kamer. Een eigen slaapkamer hebben zou belangrijk zijn voor een kind in de opvang. Dat is in ieder geval wat mijn maatschappelijk werker me ooit verteld heeft.

De eigen kamer als toevluchtsoord, wat ze daar ook mee mogen bedoelen. Een plek die alleen van jou is en van niemand anders.

In mijn geval ligt dit toch iets anders. Mijn kamer is een collage van dichtgetimmerde ramen (het resultaat van een eerdere confrontatie met Ronnie), vloerbedekking vol vlekken (na een kotspartij dankzij een verkeerd gevallen fles wodka) en een nogal triest uitziende matras vol kleren, waaronder het dekbed langzaam ligt weg te rotten.

Ik heb niet eens een kledingkast. Die heeft Ronnie verwijderd, nadat ik er een tijdje geleden mijn deur mee heb proberen te barricaderen.

Nee, mijn kamer is beslist geen fijn toevluchtsoord, maar ik hoef hem tenminste niet te delen, zoals blijkbaar in sommige andere tehuizen het geval is. Stel je voor, elke nacht wakker worden omdat een of ander snotterig sulletje ligt te janken om z'n moeder! Dan zit ik nog liever in de gevangenis.

Ik sla de deur achter me dicht (om ze te laten horen dat ik er nog steeds ben), schop er een stapel stinkende kleren voor (een slot heb ik niet), en ga op mijn matras liggen, starend naar de plastic sterren waarmee het plafond bedekt is.

Ooit gaven ze waarschijnlijk licht in het donker, ideetje van weer zo'n stomme maatschappelijk werker, maar nu zien ze er enkel nog armoedig en vaal uit, en dienen ze er alleen nog maar toe dat ik iets te zien heb, wanneer ik op bed lig.

Mijn arm doet pijn. Maar eerlijk gezegd doet alles altijd pijn nadat ze je te pakken gekregen hebben. En dan heb ik het niet alleen over je spieren, ook je hersens, je ingewanden, alles. Het is moeilijk uit te leggen. Je voelt je gewoon door elkaar geschud, uit je evenwicht gebracht, niet in orde.

Fronsend denk ik terug aan hoe ik die ochtend wakker geworden ben.

Hoewel het misschien wel de meest riskante nacht geweest was, die ik ooit gehad had, is het toch ook de beste geweest die ik me kan herinneren.

Normaal gesproken slaap ik altijd onrustig. Soms omdat ik dronken ben, soms vanwege de tweeling. Maar er is altijd wel een reden voor een gebroken nacht.

Zo niet afgelopen nacht. Afgelopen nacht was in een flits voorbij. Geen dromen, geen gewoel. Enkel acht uur ongestoorde slaap. Ik werd glimlachend wakker, en dat had niet alleen te maken met waar ik me bevond. Het kwam omdat ik geslapen had en dus niet had hoeven nadenken.

Geen verrassing dus waarschijnlijk, dat het de rest van de ochtend alleen nog maar bergafwaarts gegaan was.

Het huis van Jan en Grant verlaten was gemakkelijk geweest. Ik had het bed weer opgemaakt en was door de achterdeur naar buiten gegaan. Een ontbijt had ik maar niet gemaakt. Dat het tot dan toe gelukt was, betekende tenslotte niet dat ik nu met alles weg zou komen, nietwaar?

Ik sloop dus door de achtertuin, naar de brandgang erachter, en wandelde terug.

Misschien had ik iets beter na moeten denken, had ik de brandtrap moeten gebruiken om binnen te komen, het zou zeker niet de eerste keer geweest zijn.

In elk geval had ik me moeten realiseren dat Ronnie nachtdienst had en dat hij elke reden aan zou grijpen om mij te tackelen.

Zo zit hij nu eenmaal in elkaar. Hij wil altijd alles weten. Moet altijd vragen stellen. Verwacht altijd dat je je als een van zijn eigen kinderen gedraagt. Zelfs na acht jaar is hij er nog niet achter dat het zo niet werkt.

Zo zijn de regels niet. Ouders verlaten je niet nadat hun dienst erop zit.

Maar hulpverleners wel. Klootzakken wel.

Ik kan het niet.

Ik zit hier.

Zolang als ik me kan herinneren. En ik zal hier wel altijd blijven zitten ook.

# 2

Heb je ooit wel eens zo lang naar een stuk tekst gekeken dat je er op het laatst niks meer van kan maken?

Dat is precies wat mij overkomt.

Ik zit al minstens een half uur in Ronnies kantoor, starend naar het blad papier dat die klootzak daar voor me neergelegd heeft.

Het is niet dat de vragen nu zo moeilijk zijn of zo. Het zijn gewoon drie eenvoudige vragen.

Dezelfde vragen, die ik altijd voorgeschoteld krijg voorafgaand aan een beoordeling. Oké, naarmate ik ouder werd, was het taalgebruik wat aangepast maar in principe waren het elk jaar dezelfde vragen.

'Luister, Bill. Dit is *jouw* beoordeling, vergeet dat niet. Ik kan me er nog zo voor inzetten, maar als ik niet weet wat jij wil, hoe moet ik het dan voor je geregeld krijgen?'

Ik had het allemaal al zo vaak gehoord en dus wist ik dat hij me niet zou laten gaan voordat ik iets opgeschreven had. Zo was hij nu eenmaal. Een eersteklas eikel.

Opnieuw lees ik de eerste vraag.

*1. Wat zijn in jouw ogen je prioriteiten voor het komende jaar?*

Ik frons mijn wenkbrauwen en sabbel op de pen, maar kan niets bedenken. Nou ja, niets wat zijn goedkeuring zou kunnen wegdragen, tenminste. En dus besluit ik ze in de zeik te nemen.

*Eindelijk een manier vinden om te ontsnappen. Een tunnel graven die groot genoeg is voor mij en de tweeling zal niet gemakkelijk zijn, maar als ik mijn best doe, dan moet het in een jaar te doen zijn.*

Ik knik tevreden, als ik het terug lees. Ja, dit klinkt goed, en dus ga ik verder met nummer 2.

*2. Hoe kunnen jouw persoonlijk begeleider, de verzorgers en de maatschappelijk werker je helpen om dit doel te bereiken?*

Dat is een gemakkelijke, en dus begin ik weer te schrijven.

*Met een paar spades zou ik al enorm geholpen zijn. En wanneer ze het weggegraven zand uit de tunnel zouden kunnen verwijderen, zou dat het proces zeker versnellen.*

Vraag nummer drie blijkt ook al geen uitdaging meer.

*3. Waar zie je jezelf over een jaar?*

Zonder verder na te denken krabbel ik het antwoord.

*OVERAL BEHALVE HIER.*

Tevreden met mijn werk duw ik de dop weer op de pen en wend me tot Ronnie, die aan het andere bureau zit te schrijven, omringd door opengeslagen dossiers.

'Ik ben klaar,' mompel ik, waarbij ik elke vorm van oogcontact probeer te vermijden.

'En, heb je wat opgeschreven?'

'O ja, meer dan ooit.' Wat in wezen niet gelogen is.

'En wat ga je nu doen?'

'Weg.'

'Waar naartoe?'

'Ergens.'

'En wanneer kom je weer terug?'

'Wanneer ik klaar ben,' snuif ik, hoewel ik op dat moment al praktisch buiten sta en hij me dus niet meer kan horen.

Naar buiten gaan is iets, wat ik heel veel doe. Soms omdat ik het even helemaal gehad heb, soms omdat ik ongein wil uithalen, en soms om de klootzakken gewoon weer even wat te doen te geven.

Zo gaat dat namelijk wanneer je in een kindertehuis woont. Alles wat je doet, creëert werk voor die klootzakken. Het is dus een geweldige manier om ze helemaal gek te maken en ze nog meer te doen te geven.

Wanneer ik bijvoorbeeld een raam breek, moet er een rapport geschreven worden. Wanneer ik iemand sla, een ander rapport. Maar nu komt het mooiste. Zelfs wanneer ik gewoon het huis even verlaat, moeten ze dit rapporteren.

Het huis heeft een logboek, snap je, waarin bijgehouden moet worden waar elk van ons zich op elk moment van de dag bevindt. Waar we zijn, wat we hebben gegeten en hoeveel, hoe laat we opgestaan zijn, hoe laat we zijn gaan slapen. En dus ook wanneer we het huis verlaten.

Geen idee of wij eigenlijk wel mogen weten dat het bestaat.

Geen idee ook of de andere tehuiskinderen ermee zitten.

Maar ik?

Ik vind het geweldig.

Ik gebruik het zo veel mogelijk in mijn voordeel.

Gemiddeld ga ik minstens twintig keer per dag even naar buiten, los van wanneer ik echt naar buiten moet. En dan lach ik me rot, wanneer ik zie hoe ze zich elke keer weer naar het kantoortje haasten, pen in de hand.

Ik zorg er altijd voor dat ik minstens tien minuten buiten blijf. Sommige van de oudere klootzakken denken namelijk slim te zijn, weet je. Denken dat ik binnen een paar seconden wel weer terug ben, maar wanneer ik dat niet blijk te zijn, en in de wetenschap dat de hogere klootzakken op het hoofdkantoor alles altijd controleren, moeten ze het wel rapporteren.

Briljant hè? En zo kom ik die lange saaie dagen dus toch nog door.

Nadat ik een half uur Ronnies zinloze vragen heb zitten beantwoorden, heb ik echt dringend behoefte aan wat frisse lucht en dus loop ik de tuin in, op zoek naar een beetje ontspanning.

Niet dat daar enige kans op is. Niet met al die andere tehuiskinderen in de buurt.

Begrijp me niet verkeerd, ik heb in het verleden heus ook wel eens vriendschappen gesloten met andere kinderen hier. Of in elk geval bondgenootschappen.

Maar nooit voor lang.

Ik bedoel, wat heb je eraan?

Mensen kunnen opeens vertrokken zijn. Ik ben wel eens naar bed gegaan 's avonds, om de volgende ochtend kamers leeg aan te treffen. En niet één of twee keer. Het gebeurt continu.

Ik doe dus geen moeite meer om mensen echt te leren kennen.

En ik vertel ze al helemaal niets. Behalve dan dat ze me met rust moeten laten.

Helaas lijkt niet iedereen dit meteen te snappen. En dus moet ik ze er soms aan helpen herinneren.

Charlie Windass is een van hen. Hij zit al maanden bij ons en is slechts een jaar jonger dan ik, hij had dus moeten weten dat hij zich beter niet met mij kon bemoeien.

'Hé, Bill,' zegt hij, terwijl hij in mijn richting geslenterd komt. 'Ik hoorde dat je je beoordeling hebt deze week?'

Ik probeer hem te negeren, maar wanneer hij met de punt van zijn gymschoen tegen die van mij tikt en zijn vraag herhaalt, weet ik dat dit geen optie is.

'Hoorde je me niet?'

'Jawel, ik hoorde je wel. Ik heb alleen geen zin om met je te praten.'

Hij doet een poging om beledigd te kijken, maar het resultaat is eerder sneu.

'Dat is nou niet bepaald broederlijk van je. Ik wilde alleen maar even een praatje maken.'

De rillingen lopen me over de rug bij de gedachte alleen al, dat wij familie van elkaar zouden zijn.

'Luister, maat,' brom ik. 'Ik weet niet wie je hierheen gestuurd heeft, misschien heb je stiekem een doodswens of zo, maar laat één ding duidelijk zijn, oké? We mogen dan misschien wel onder hetzelfde dak slapen, maar je bent geen vriend van me en zal dat ook nooit worden. Ik wil niet met je praten. Ik wil zelfs niet naar je kijken. Dus verdwijn nu, oké?'

Ik zie een vage glimlach op zijn gezicht verschijnen en weet meteen dat hij bewust de confrontatie opzoekt. Wat ik prima vind.

'Wauw, het klopt echt wat ze over jou zeggen, hè?' Hij begint te lachen. 'Meteen al toen ik aankwam hier vertelden de anderen me dat jij een rare was. En ze hebben gelijk. Geen wonder dat jij en die andere twee hier al sinds jullie geboorte zitten.'

Dat is de druppel.

Charlie mocht dan al een tijdje meedraaien in de jeugdzorg, zijn reactievermogen is nog niet zo snel als zijn praatjes. Misschien dat hij op een eerlijk gevecht gerekend heeft of zo, in elk geval beschermt hij zichzelf niet, en één trap in zijn kruis is voldoende om hem op de grond te doen belanden.

Op zijn manier probeert hij nog wel even terug te vechten, door mij een halfslachtige trap tegen de achterkant van mijn knie te geven, waardoor ik geen andere optie heb dan mijn punt nog een keer extra kracht bij te zetten.

Terwijl ik met mijn knieën zijn armen op de grond pin en op zijn middel zit om zijn benen uit te schakelen, leun ik over hem heen en spreek hem toe, mijn woorden af en toe met een stevige tik kracht bijzettend.

'Wat die anderen je hadden moeten vertellen, Charlie, is dat het feit dat ik een rare ben betekent, dat je beter uit m'n buurt kunt blijven. In plaats van je met mij te bemoeien. Snap je dat?'

Ik druk de palm van mijn hand tegen het uiteinde van zijn neus en duw die zo richting zijn ogen. Ik zie de tranen verschijnen, maar hij geeft geen kik. En dus druk ik harder.

Hoe veel langer hij nog stil had kunnen blijven of hoe veel verder ik nog gedrukt zou hebben kan ik niet zeggen, want op dat moment word ik door twee armen aan mijn schouders naar achteren getrokken.

Al te ver heen om nog helder te kunnen denken, begin ik wild om me heen te slaan, klaar om met de hele wereld op de vuist te gaan. Niemand kan mij de baas wanneer ik in zo'n stemming ben.

Behalve dan drie van die klootzakken.

Waarschijnlijk hebben ze door het raam staan toekijken, anders hadden ze er nooit zo snel kunnen zijn. Twee van hen pakken me elk bij een arm, terwijl de Kolonel zijn armen om mijn benen slaat, om zich daar als een rodeorijder aan vast te klampen.

Ik probeer me los te worstelen terwijl ze me terug naar het huis dragen, maar ze zijn gewoon te sterk en ze weten er ook voor te zorgen dat ik ze niet in het gezicht kan spugen.

Eenmaal bij het huis aangekomen weet ik dat mijn kansen verkeken zijn, maar ik ben nog altijd te kwaad om het op te geven.

Vooral als Charlie Windass weer overeind gekomen is en achter ons aan gestrompeld komt, waarbij hij zijn middelvinger naar me opsteekt.

Ik probeer mezelf te kalmeren met de gedachte dat hij er nog wel even zou zijn. Dat er nog genoeg tijd voor wraak is. We hebben tenslotte allebei levenslang.

# 3

Met school heb ik moeite.

Niet wat het leren betreft. Wanneer ik besluit om naar school te gaan, dan leer ik ook. Dom ben ik niet.

Maar ik snap niet hoe het me een baan moet gaan opleveren later. Ik bedoel, wat maakt het uit of ik weet waar een komma komt, of wat de hoofdstad van Spanje is. Elke baas die mij binnen ziet komen voor een sollicitatiegesprek zal eerder de beveiliging erbij roepen dan me een baan aanbieden. Dat is gewoon een feit.

Ik probeer hier echt niet zielig te doen, maar ik heb het met eigen ogen gezien. Elke keer opnieuw. Wanneer je hier al zo lang zit als ik, dan leer je bepaalde dingen. Maar helaas heb ik daar niets aan wanneer ik later geld wil gaan verdienen.

Neem Marie bijvoorbeeld.

Een klassiek voorbeeld.

Woonde hier zes jaar, van haar twaalfde tot haar achttiende, toen ze moest vertrekken.

Marie was redelijk normaal. Deed geen rare dingen. Rookte of dronk niet bijzonder veel. Ging naar school. Ik geloof niet dat ik haar ooit opgepakt heb zien worden. Zelfs niet als gevolg van iets wat ik of een van de anderen uitgehaald had.

Vanaf haar zeventiende begonnen ze haar langzaam voor te bereiden op haar vertrek. Ze kreeg een eigen woning toegewezen, nog best een leuke ook.

'Je zou hem moeten zien, Billy,' riep ze verrukt. 'Gloednieuwe flat in dat nieuwbouwproject vlakbij het oude stadscentrum. Sociale huurwoningen, maar het ziet er allemaal keurig uit.'

Sociale vaardigheden, noemden ze het. Alles wat ze moest weten om op zichzelf te kunnen wonen. Maar niets kon haar voorbereiden – niet na hier zes jaar gewoond te hebben.

Op de dag dat ze achttien werd, pakte ze haar spullen bij elkaar en vertrok ze en in eerste instantie leek alles op rolletjes te lopen. De flat beviel goed, ze bleef in contact met haar maatschappelijk werker, leek zich zowaar te kunnen redden dankzij al die sociale levensvaardigheden onzin.

Behalve dan dat ze geen baan kon vinden. Eerst zette ze nog hoog in. Kantoormedewerkster bij een of ander bedrijf in de stad. Ze dacht dat het sollicitatiegesprek goed verlopen was, dacht dat ze alle vragen goed beantwoord had, dacht dat ze aangenomen zou worden.

Maar dat gebeurde niet. Ze wezen haar af.

En zo ging het overal. Bookmakerskantoren, videotheken, tuincentra, pubs. Iedereen meende iets te zien wat niet klopte, wat hen niet aanstond.

En toen kwamen de eerste rekeningen. En dat werden er steeds meer. Stapels rekeningen. En die kon ze met haar sociale vaardigheden niet betalen. En ook niet met alle lessen op school, die ze zo braaf gevolgd had.

En dus deed Mary wat elk kind uit de jeugdopvang zou doen. Ze maakte er een potje van.

Werd koerier voor een vent bij haar uit de buurt.

'Ik ben heus niet achterlijk,' zei ze tegen me. 'Ik weet heus wel wat er in die pakketjes zit. Maar verder doe ik er niets mee. Ik lever alleen maar wat af voor een vriend van me.'

Ik geloofde er niets van. Marie was net als ik, en ik wist dat ik geen weerstand zou kunnen bieden aan wat er dan ook in die pakketjes mocht zitten.

Hoe dan ook, binnen de kortste keren zat ze dus tot over haar oren in de problemen. De laatste keer dat ik bij haar langsging, kreeg ik de deur van de flat al bijna niet meer open vanwege de stapels rekeningen die erachter lagen.

'Doe niet zo stom, Billy,' zei ze, toen ik haar vroeg of ze de verleiding echt had kunnen weerstaan. 'Da's niets voor mij. Voor mijn moeder misschien, maar niet voor mij.'

En eerlijk gezegd was dat de laatste keer dat ik Marie gesproken heb. De lol van een bezoek aan haar, enkel om even aan de Kolonel te kunnen ontsnappen, was er een beetje af. De flat zag er niet meer uit. Na een paar maanden had ze de tv, de stereo-installatie, alles wat maar een beetje waarde had, verpatst. Mijn eigen kamer leek opeens wel het Ritz.

En naar wat ik hoorde, was het vanaf dat moment snel bergafwaarts gegaan.

Ze was uiteindelijk natuurlijk toch gaan gebruiken van de pakketjes die ze moest afleveren. De dealer kwam erachter en eiste dat ze hem er alsnog voor betaalde.

En niet met geld uiteraard, maar in natura, en niet alleen hem, maar ook zijn vrienden.

Ik hoef het toch niet te spellen, of wel? De laatste keer dat iemand Marie zag, stond ze op het industrieterrein achter de bioscoop, met een lege blik in haar ogen en armen als speldenkussens.

Dus ze kunnen me wat met die school, als dit uiteindelijk het resultaat is.

Hoewel de eindeloze dagen in het tehuis ook niet veel beter zijn. Vooral niet wanneer Ronnie de klootzakken uitgebreid geïnstrueerd heeft over hoe mijn dag eruit zou moeten zien.

Elke ochtend wordt er weer een bureau voor mij neergezet in de keuken, met hetzelfde werk erop als de dag ervoor, dat ik geweigerd had om te maken. Ernaast hetzelfde potlood, altijd even stomp. Ik vraag me af of dat expres is.

Ik bedoel, zo primitief ben ik nu ook weer niet. Wanneer er gevochten moet worden heb ik echt geen geslepen potlood nodig, ik heb mijn vuisten.

Elke ochtend neem ik braaf plaats achter het bureau, enkel om ze een beetje hoop te geven. Vervolgens begin ik op mijn stoel te wippen, met het potlood tegen mijn tanden te tikken en probeer ik bij de waterketel te komen, om een kopje thee te maken. En zodra ze dan een beetje geïrriteerd raken, kiep ik de tafel omver of verscheur mijn boek of breek het potlood doormidden. Net waar ik op dat moment zin in heb. Als de boodschap maar duidelijk wordt, dat het niks gaat worden met dat schoolwerk.

Het probleem met niet naar school gaan is wel dat elke dag zo saai is. Met alle andere kinderen uit het huis wel naar school, alle negen.

Inclusief de tweeling.

Dat moeten ze van mij. Geen gezeur. Omdat we hier namelijk niet meer zo lang zullen zitten. We zullen uiteindelijk toch weer ergens anders geplaatst worden en dan zal school heel belangrijk zijn voor ze. Ook voor later en zo.

Dus wanneer tegen half tien de tafel verdwenen is, betekent dat dat ik nog zo'n zes uur heb voordat de rest terug is. En dat is een behoorlijk lange tijd om te vullen.

Vooral wanneer de Kolonel de tv-kamer afgesloten heeft.

'Billy, wanneer je voor de buis wilt zitten, dan zal je er wat voor moeten doen, vriend.'

Altijd weer diezelfde woorden. Hetzelfde riedeltje. Dezelfde beperkingen. Dezelfde arm op mijn rug. Zelfs die strijd begint na een poosje te vervelen.

Het grootste deel van de dagen breng ik dus door in mijn kamer. Starend naar de plastic sterren. Me afvragend wat er voor nodig zou zijn om ze weer aan het stralen te krijgen. Dat of dromend over manieren om de Kolonel dwars te zitten.

Ik durf te zweren dat wanneer de klok eenmaal drie uur geslagen heeft, hij langzamer gaat lopen, dat de tijd opeens verdubbelt of zo. Als een soort extra manier om me te straffen.

Elke dag sta ik te popelen om naar buiten te gaan en ze bij het hek op te wachten, maar ook daar heeft de Kolonel een stokje voor gestoken.

'Ik zie dat als een voorrecht, Bill. Zodra jij weer naar school gaat of hier je schoolwerk maakt, kunnen we het er weer een keer over hebben. Maar tot die tijd is buiten, tijdens schooluren tenminste, verboden terrein.'

Man, wat zou ik hem graag pijn doen.

Maar in plaats daarvan is het enige wat ik kan doen, nieuwe manieren bedenken om hem dwars te zitten en de lange minuten door zien te komen totdat de deuren weer open gegooid worden en de tweeling weer terug is.

Tien worden ze dit jaar en ik vind het vreselijk dat dit alles is, wat ze ooit gekend hebben. Ze weten niet wat het is om thuis te zijn, om niet onderworpen te zijn aan een dagelijkse routine, die meer weg heeft van een militaire operatie.

Het enige wat ze hebben ben ik, en dat is wat ik zo erg vind.

Het gebouw stond zowat te trillen, als de deur open vliegt. Het is alsof er een wervelwind binnenkomt, maar zoals altijd ben ik er klaar voor op het moment dat de deur met volle kracht tegen mijn borst aan slaat.

'Biiiil,' roept Lizzie in mijn linkeroor, terwijl Louie, geheel volgens verwachting, hetzelfde in mijn rechteroor schreeuwt.

'Hé, boefjes.' Glimlachend kijk ik ze aan. 'Hoe was jullie dag?'

'Gaat wel,' kreunen ze in koor. 'Net als altijd.'

'Iemand vervelend gedaan tegen jullie?'

'Vandaag niet. Nou ja, behalve Ronnie dan, omdat ik mijn stropdas niet meer om had toen ik uit school kwam,' klaagt Louie, maar met een glimlach. 'Dus ik zei dat hij op moest rotten.'

'Ai, dat soort opmerkingen laat je beter maar aan mij over. Hou jij je nu maar gewoon rustig en doe wat hij zegt, oké?'

'Ja, ja.'

'Mooi. En nu hup, die trap op allebei, en kleed je om. Daarna zullen we kijken wat we nog kunnen doen voor het eten.'

Terwijl ze zich naar boven slepen, verschijnt Ronnie achter me in de deuropening.

'Je bent *echt* heel leuk met ze, weet je dat?' zegt hij, een glimlach op zijn gezicht.

'Wat verwacht je dan?' antwoord ik, terwijl ik hun jassen aan de haakjes hang. Tien haakjes met tien namen in zwarte stift erboven geschreven. Stijlvol, nietwaar?

'Ik vraag me gewoon soms af hoe het komt dat je met hen zo anders bent dan met alle anderen om je heen.' Alsof dat zo raar is. 'Het lijkt wel alsof ik naar een compleet andere persoon sta te kijken.'

'Dat komt omdat samenleven met *hen* mijn eigen keus is. En dat kan ik nu niet bepaald over de rest van jullie zeggen, of wel soms?' En bovendien, *jij* woont hier niet eens. Geen enkele van jullie klootzakken woont hier. Wij betalen alleen jullie loon. Me verbijtend volg ik de tweeling de trap op. Ik heb geen zin om het er weer over te hebben.

'Eten jullie vanavond met ons mee? Ik dacht eraan om ook even een hapje mee te eten voordat ik weer naar...' Hij breekt zijn zin af voordat hij het woord 'huis' zou uitspreken.

Maar ik wist al wat hij zou gaan zeggen en dus negeer ik hem.

De rest van de dag verloopt zoals de meeste dagen. Alles draait om routine voor die klootzakken. Zo gaat hun dienst sneller en makkelijker voorbij en kunnen ze tenminste op tijd naar de pub.

Maar de tweeling en ik hebben daar schijt aan.

De rest van de tehuiskinderen doet dan misschien precies wat ze zeggen, wij niet. Dus terwijl de rest zich om het bord verzamelt om te kijken wat er die avond op het menu staat, zit ik met de tweeling in de provisiekamer, om uit te zoeken wat we gaan koken.

Geen van de andere tehuiskinderen kijkt er meer van op, enkel de nieuwe klootzakken, van wie er hier elke week wel weer een paar lijken te beginnen. Verder weet iedereen het nu wel.

De tweeling en ik zorgen voor onszelf. Kiezen zelf wat we eten, in plaats van het door Ronnie te laten bepalen.

'Als je er maar voor zorgt dat je alle troep achter je opruimt,' had de Kolonel gezegd.

Ik weet dat hij het nog altijd vervelend vindt, hoezeer hij het ook probeert te verbergen, maar dit is nu eens iets, wat ik niet doe om hem dwars te zitten. Ik doe het in een poging om iets normaals te doen. Of in ieder geval iets, waarvan ik vermoed dat het normaal is.

Wanneer het ritueel van het avondeten eenmaal voorbij is, verzamelen de andere tehuiskinderen zich in de woonkamer voor hun dosis tv voordat Operatie Bedtijd begint, het meest stressvolle onderdeel van de dienst voor elke klootzak. Voor de tehuiskinderen zelf ook geen pretje trouwens. Dat merk ik nog steeds aan de tweeling, hoe lang ze hier ook al zitten.

'Je gaat ons vanavond toch nog wel voorlezen, Bill?' vraagt Lizzie.

'Nadat je in bad geweest bent,' antwoord ik, terwijl ik wacht op de volgende vraag.

'En je blijft voor de badkamer wachten, terwijl ik daar bezig ben, hè?'

'Wanneer je dat graag wilt, ja.'

'De anderen staan anders altijd aan de deur te rammelen, terwijl ik in de badkamer ben en dat vind ik niet leuk.'

'Dat weet ik, Lizzie. Maar maak je geen zorgen. Iedereen die ook maar in de buurt van de deur durft te komen, krijgt met mij te maken, oké?'

En dat lijkt een beetje te helpen.

Maar het is elke avond hetzelfde, zodra de bedtijd eraan zit te komen. Ook niet verwonderlijk, wanneer je weet dat je naar bed gebracht wordt door een paar klootzakken, die praktisch vreemden zijn.

Niemand brengt de tweeling naar bed behalve ik.

En zij willen het ook niet anders.

Geen idee hoe ze dat deden toen ik bij Jan en Grant woonde.

Ik zat volledig in de knoop toen.

Wanneer het bedtijd was, zat ik me in mijn mooie nieuwe kamer af te vragen wie er die avond in het tehuis dienst had. Maar zelfs wanneer ik wist dat het een van de minder erge klootzakken was, wilde ik toch nog het liefst naar ze terugrennen, roepend dat ik eraan kwam, dat alles goed zou komen.

Maar echt terugrennen deed ik natuurlijk nooit. Nou ja, in het begin deed ik nog wel eens een poging, maar de klootzakken lieten me nooit naar binnen. En wanneer het dan uit de hand dreigde te lopen, haalden ze er meteen de smerissen bij die me dan weer naar huis sleepten, tot grote blijdschap van Jan en Grant.

Ik moest het dus doen met telefoontjes, gevolgd door uren van ziekmakende ongerustheid.

Omdat ze elke avond door iemand anders ingestopt werden. Die niet wist wat voor verhaaltjes er voorgelezen moesten worden en in welke volgorde. Die niet wist dat het dekbed onder hun voeten moest worden gestopt, zodat ze daar warm zouden blijven. Die niet in de deuropening zou blijven zitten, totdat ze in slaap vielen.

Ik ging er bijna aan onderdoor, echt waar.

Nog steeds.

Dus nu zorg ik ervoor dat, wat er die dag ook gebeurt, ik er rond bedtijd voor ze ben.

Zittend in de deuropening, luisterend naar hun steeds rustiger wordende ademhaling, voel ik de knoop in mijn maag dikker worden.

En wanneer dan het gehuil verderop in de gang begint en het geroep om mama toeneemt, dan weet ik dat een volgende afschuwelijke nacht in het kindertehuis begonnen is.

Een volgende nacht, waarin ik de sterren in mijn kamer zal tellen, terwijl ik nadenk over ontsnappen, zelf het liefst wil schreeuwen, denk dat ik gek zal worden.

# 4

De stoel kreunt, terwijl ik erop naar achteren wip en een blik de kamer in werp. Een behoorlijke opkomst, zie ik. Sterker nog, in mijn hele lange en roemrijke carrière als Billy Finn, professioneel tehuiskind, heb ik nog nooit zoveel klootzakken bij elkaar gezien. De Kolonel is er, uiteraard, zijn schoenen glanzend gepoetst en zijn overhemd gestreken. Het verbaast me bijna dat hij niet ook nog zijn onderscheidingen opgepoetst en opgespeld heeft, dan was hij pas echt klaar geweest voor inspectie.

Tony, de dikke baas van het tehuis, is er ook. Hoe hij zich in een van de stoelen heeft weten te persen, is me een raadsel. Grijnzend bedenk ik dat hij er waarschijnlijk nooit meer uit zou kunnen komen. En dan is daar Dawn, mijn nieuwste maatschappelijk werkster. Niks mis mee op zich. Aardig, zorgzaam, attent. Alles wat een maatschappelijk werker juist niet zou moeten zijn. Maar ze is nog jong, ze zal het vanzelf leren. Of ze zal binnen zes maanden instorten. Geloof me, ze zou de eerste niet zijn.

De andere vent in de kamer ken ik niet, vertrouw ik ook niet. Het prototype van een maatschappelijk dienstverlener. Rond brilletje en gekleed in corduroy. Alleen ruikt hij niet naar angst, zoals Dawn. Hij straalt een soort kalmte uit, alsof hij heel goed weet waarom hij hier is. En dat zint me niet.

Hij kijkt me aan, glimlacht even en knikt dan naar Dawn, als teken dat ze kan beginnen.

'Oké, zullen we dan maar?' kirt die, alsof het gaat om een bingo-avond. Het doet me vermoeden dat dit haar eerste beoordelings-gesprek is.

'Laat me eerst even iedereen aan je voorstellen, Billy. Mij ken je natuurlijk al, en Ronald en… eh, Tony,' voegt ze eraan toe, nadat ze even nerveus in haar aantekeningen gekeken heeft. 'En dit is Christopher, hoofd van de lokale afdeling kinderopvang. Gezien jouw leeftijd en de, eh, uitdagingen die we ondervinden bij het vinden van een stabiele situatie en het vormen van een nieuw opvangplan voor jou, dachten we dat het misschien handig was om Christopher er vandaag bij te hebben.'

'Fijn je te ontmoeten, Billy. Ik heb met grote interesse je dossiers doorgelezen.'

Dat zal heel wat tijd gekost hebben, denk ik bij mezelf. Er zijn inmiddels genoeg dossiers over mij om een huis voor mij en de tweeling van te kunnen bouwen.

'Maar ik dacht dat het misschien toch handiger zou zijn wanneer jij me zelf wat meer over jezelf zou kunnen vertellen. Hier staat tenslotte niet alles in,' zegt hij, met een knikje naar de uitpuilende map voor hem.

Stilte.

Wanneer hij denkt dat ik hem hier nu mijn hele levensverhaal zou gaan zitten vertellen, dan heeft hij zich toch echt vergist.

Maar mag hij mijn zwijgen al vervelend vinden, dan laat hij dat in elk geval niet merken. Hij blijft me rustig aankijken. Ik geloof zelfs dat hij de eerste minuut niet eens met zijn ogen knippert.

De anderen daarentegen beginnen wel wat onrustig te worden. Ik zie het. Tony tikt met zijn pen tegen zijn tanden. Dawn bladert door haar aantekeningen, alsof ze daar wat aan zou hebben. Wanneer ze op zoek is naar antwoorden, dan zal ze die zeker niet vinden in mijn dossier.

En voor Ronnie is het al helemaal te veel. Zweetdruppeltjes parelen inmiddels op zijn bovenlip en zijn been tikt nerveus tegen de tafelpoot, waardoor de theekopjes staan te rammelen.

'Het is inmiddels al meer dan acht jaar geleden, dat Billy bij ons kwam wonen,' bemoeit hij zich er plotseling mee. 'Hij was toen net zes. Hij kwam samen met de tweeling, uiteraard. Hun leven thuis was niet bepaald stabiel. De moeder en haar vriend, Shaun, die de vader van de tweeling is, maar niet van Billy, hadden alcohol- en drugsproblemen, en er waren duidelijke tekenen van zowel geestelijke als lichamelijke mishandeling.'

Bij het horen van de naam voel ik mijn hartslag even versnellen, maar ik probeer rustig te blijven ademen.

*Kalm blijven. Kalm blijven.*

'Hmmm,' zegt Christopher, terwijl hij met een dramatisch gebaar over zijn kin strijkt. Je zou bijna gedacht hebben dat iemand hem zojuist het geheim van de eeuwige jeugd uit de doeken gedaan had, in plaats van mijn voorgeschiedenis. 'Dus jij weet inmiddels de weg wel hier.'

Ik doe alsof ik glimlach.

*Je hebt geen idee, vriend. Maar dat betekent nog niet dat ik hier nu met jou ga zitten praten.*

'Vertel me eens, Billy,' zegt hij, terwijl hij naar voren leunt. 'Hoe voelt dat voor jou? Voor jullie alle drie uiteraard, maar in het bijzonder voor jou? Want de tweeling kan zich waarschijnlijk amper nog herinneren, dat ze hier kwamen.'

''t Is een soort Disneyworld,' mompel ik.

'Sorry?' vraagt hij, nog wat verder naar voren leunend.

'IK ZEI –' terwijl ik mijn hand als een toeter rond mijn mond zet – ''t is een soort Disneyworld. Overal waar ik kijk zie ik Mickey Mouse.'

Ik voel hoe Ronnie naast me verstijft. Mooi.

Maar Christopher lijkt niet onder de indruk, zit er nog net zo relaxed bij als daarvoor. Sterker nog, hij glimlacht meelevend.

'Ja, ik snap dat het niet gemakkelijk is om al zo lang hier te moeten zitten. Hoewel ik wel zag,' zegt hij, terwijl hij door mijn dossier bladert, 'dat je een tijdje ergens anders geplaatst was.' En opnieuw leunt hij naar voren, wachtend op een antwoord.

Shit. Eerst Shaun en nu dit.

Dit gesprek bevalt me helemaal niet en voor het eerst sla ik mijn ogen neer, maar besef meteen dat ik dit beter niet had kunnen doen. Nu weet hij dat hij een gevoelige snaar geraakt heeft en als hij net zo is als al die andere klootzakken, die ik ontmoet heb, dan houdt hij niet op totdat hij heeft wat hij wil.

Ik probeer het weer met zwijgen, concentreer me op de theekopjes, die nog altijd zachtjes op de tafel staan te schudden. Totdat ik me realiseer dat het niet Ronnies been is, dat ze aan het trillen brengt. Het is mijn eigen been, en dat wordt me te veel.

'Wat wil je nou? Ik snap niet wat jullie van me willen.'

'Het enige wat ik wil, Billy, is je proberen te begrijpen. Want als ik niet begrijp wat er de afgelopen jaren met jou gebeurd is, hoe moeten we er dan achter komen hoe we het beste met je verder kunnen?'

Standaard geklets van een maatschappelijk werker, maar ik weet dat hij nog niet klaar is, en hoe sneller hij verder gaat, hoe sneller ik hier weg kan.

Christopher werpt opnieuw een blik in mijn dossier. Ik weet wat er nu komt.

'Ik zie dat je zes maanden bij een familie doorgebracht hebt, Billy. Hoe lang is dat geleden?'

'Drie jaar,' bemoeit Ronnie zich er weer mee.

Het is bijna een opluchting om iemand te zien, die duidelijk net zo gespannen is als ik, al heeft het bij hem een andere oorzaak. Hij telt enkel de seconden af totdat hij mijn arm weer op mijn rug kan draaien. Hij weet dat hij de enige hier is die mij ervan kan weerhouden om Christopher naar de keel te vliegen.

'Het komt heel zelden voor, weet je, Billy, dat elfjarigen nog ergens geplaatst kunnen worden. Mensen die zich opgeven als pleegouders, of, in het geval van...' Hij stopt, terwijl zijn ogen het dossier afzoeken.

'Jan en Grant,' mompel ik. *Waarom hielp ik hem?*

'Dank je, ja, de familie Scott. Ik zie hier dat ze zich niet hadden opgegeven als pleegouders. Ze wilden je zelfs *adopteren*. Ik kan je niet zeggen hoe weinig dat voorkomt. Dat weet je toch, of niet, Billy?'

Ik haal mijn schouders op, het is niet dat ik dit nu voor het eerst hoor.

'Dus wat is daar gebeurd? Ik wil graag begrijpen hoe het komt dat, toen jij een kans kreeg waarvan zo veel kinderen in jouw situatie alleen maar kunnen dromen, het toch fout kon gaan.'

Terwijl hij op me in spreekt, het heeft over onderwerpen, waar verder niemand zich in mijn buurt aan durft te wagen, voel ik hoe de knoop in mijn maag weer groter wordt en zo de woede, die daar boven zit, steeds verder naar de oppervlakte duwt.

'Waarom vraag je dat aan mij? Denk je nou heus dat ik dat weet? Waarom vraag je het niet aan hen, aan Jan en Grant? Zij waren degenen die mij teruggestuurd hebben. Ik ben echt niet uit mezelf weggegaan. Zij WILDEN me niet.'

'Maar Billy, je snapt toch wel dat jij daar ook een rol in gespeeld hebt? Deze mensen wilden je juist heel graag. Wilden jou als hun zoon. En niet voor een jaar, niet totdat je achttien werd, maar voor de rest van je leven. Maar jij maakte het onmogelijk voor ze. Je gooide ramen in, verdween soms dagen achter elkaar. En je weet zelf wel wat nog meer, of niet soms? We zullen hier nu niet op alle incidenten ingaan. Ik zit hier niet om je uit te dagen, ik wil alleen graag dat er wat gaat gebeuren.'

De woede zit nu in mijn keel. Maakt het onmogelijk om nog te spreken. Hij is te ver gegaan en hij weet het, en dus bemoeit Dawn zich ermee.

'Waar wij ons zorgen om maken, Billy, is dat we zien dat je in herhaling valt. Het weglopen, het vandalisme, je afwezigheid van school. Allemaal gedrag, dat je ook vertoonde aan het eind van je verblijf bij de familie Scott. En niemand hier zit op nieuwe incidenten te wachten.'

'Realiseer je je wel, hoe vaak we je in de afgelopen maanden in de houdgreep hebben moeten nemen, Bill?' laat nu ook Tony zich eindelijk horen. 'Veertien keer, waarvan de afgelopen drie dagen alleen al twee keer! En je bent inmiddels geen acht meer. Binnenkort word je vijftien. Besef je wel hoe zwaar het is voor het personeel, om dit elke week weer mee te moeten maken?'

'Hou er dan mee op en laat me met rust,' val ik uit. 'Elke keer dat ze me op de grond dwingen, is dat alleen maar omdat ze zich weer zo nodig met me moeten bemoeien.'

'Kom op, Billy, je weet dat dat niet waar is. Jouw gedrag is gewoon compleet onvoorspelbaar. We weten nooit hoe je nu weer op iets zult reageren of waardoor je nu weer over de rooie zal gaan.' Ronnie klinkt bijna oprecht.

'Wat Tony probeert te zeggen,' onderbreekt Christopher hem, 'is dat je je op een kruispunt bevindt, Billy. Zoals het nu is, kan het niet doorgaan, voor Ronnie niet, voor de rest van het personeel en voor de kinderen niet, en zeker ook voor jou niet.'

'We kunnen gewoon niet meer zo verder met je, Billy. Wij hebben hier niet de middelen om jou te geven wat je nodig hebt.'

De knoop in mij verandert in een vuist, die nu tegen mijn maagwand aan begint te slaan. Ik kan niet geloven dat ik me opnieuw in deze situatie bevind.

'Waar word ik heen gestuurd?' vraag ik.

'We sturen je nergens heen, Bill. Op dit moment nog niet, tenminste. We bieden je nog één kans om te veranderen. Stop met dat uitdagende gedrag en ga weer gewoon naar school. Je weet zelf heel goed wat we van je verwachten.'

'En als ik dat niet doe?'

'In dat geval zullen we wel op zoek moeten naar een andere verblijfplaats voor je. Er zijn enkele uitstekende therapeutische instellingen, die jou alle hulp kunnen bieden die je nodig hebt. Waar je de kans zult krijgen om te werken aan de dingen die je dwars zitten.'

'Een gesloten instelling, bedoel je?'

'Nee, Billy. We willen je niet opsluiten. Daar gaat het niet om. Het gaat erom, dat jij veilig bent, dat er een oplossing komt voor jou. En in die instellingen bieden ze één-op-éénzorg, sessies met therapeuten, en er wonen minder kinderen, waardoor je minder afleidingen zult hebben.'

'En de tweeling dan? Wat moeten die daar? Zij hebben geen therapie nodig. Ze zijn nog maar negen.'

Christopher schudt zijn hoofd. 'Nee, Billy. Laat één ding duidelijk zijn. We hebben het hier nu alleen over jou. De tweeling zou gewoon hier blijven.'

Te veel, te veel, en voordat ik het weet, schiet ik overeind.

'Wacht eens even. Jullie kunnen ons niet uit elkaar halen. Zij hebben me nodig, echt waar. Ik ben alles, wat ze nog hebben.'

'Ik snap het, Billy. Maar in hoeverre heb jij zelf de laatste tijd aan de tweeling gedacht? Hoe denk je dat zij zich voelen, wanneer ze jou altijd zo tekeer zien gaan?'

'Zij snappen dat. Ze zien toch zelf hoe Ronnie mij er elke keer weer inluist. Hij probeert nota bene hetzelfde met hen te doen!'

'Sorry, Billy, maar dat is niet waar. Ron heeft alleen maar het beste met ze voor, net als met jou, trouwens. Wat jij moet proberen te begrijpen is dat, wanneer we heel eerlijk zijn, *jijzelf* de enige slechte invloed op de tweeling bent, het grootste gevaar voor ze vormt.'

Die woorden zijn de druppel en voordat ik het weet, spring ik over de tafel, waarbij de theekopjes alle kanten opvliegen.

Veel verder kom ik echter niet, aangezien Ronnie en Tony opspringen van hun stoelen, allebei een been pakken en me tegen de tafel aan drukken. Dus dat is waarom Tony er ook bij is. Als back-up. Extra mankracht.

Terwijl ik opkijk, meen ik zowaar iets van angst op het gezicht van Christopher te ontdekken. Voor het eerst heeft hij mijn ware ik gezien. Nu snapt hij pas hoe het zit. Nu beseft hij pas waartoe ik in staat ben.

Ik kan lezen wat er in zijn ogen geschreven staat.

*Het verbaast me niets dat ze het opgegeven hebben. Het verbaast me niets dat ze je teruggestuurd hebben.*

Exact mijn eigen gedachten.

# 5

Ik heb nooit goed kunnen functioneren onder druk, en de weken die volgden op de beoordeling waren daarop geen uitzondering, vooral niet toen de school besloot dat het zeker nog een maand zou duren voordat ik er weer terecht zou kunnen. Blijkbaar hadden ze tijd nodig om zich voor te bereiden op mijn 'integratie', wat natuurlijk een leugen was.

Ze wilden me gewoon niet. Dat, of de leraren hadden een extra training geëist om met mij te leren omgaan. Of meer geld.

Hoe dan ook, ik was er niet mee geholpen.

Ze hadden me compleet in hun macht, ik wist dat ik tenminste moest doen alsof ik mijn best deed, en dat was makkelijker in een klas met dertig kinderen dan in je eentje in de keuken, waar de Kolonel je als een havik in de gaten hield. Elke minuut leek een eeuwigheid te duren en ik snapte helemaal niets van de lesstof. Ik had gewoon te veel gemist om nog in te kunnen halen en zonder uitleg was het al helemaal hopeloos.

En dus probeerde ik maar gewoon zoveel mogelijk uit de boeken over te schrijven en gebruikte ik de weinige tijd die ik achter de computer mocht doorbrengen met het downloaden van dingen. Het was vreselijk saai, hoewel de Kolonel zulke lage verwachtingen van me had dat het eigenlijk niet uitmaakte of ik iets goed deed of niet. Volgens mij keek hij het niet eens na. Zolang ik me maar rustig hield en hij niet bovenop me hoefde te gaan zitten, liet hij me mijn gang gaan.

Het enige wat ik wilde, was dat hij de tweeling met rust liet.

Nu ik zo mijn best deed overdag, moest hij me wel meenemen wanneer hij ze ophaalde van school en opnieuw concludeerde ik wat een vervelende vent het toch was.

Joelend kwamen ze het plein afgerend, net als alle andere kinderen, blij dat de dag er weer op zat. Maar binnen enkele seconden wist hij de vrolijke stemming om zeep te helpen. Hadden ze hun stropdas niet om, dan kregen ze de wind van voren, hadden ze hun trui rond hun middel gebonden, dan leek het alsof de wereld verging. Die man was echt niet normaal.

Maar wat kon ik eraan doen? Helemaal niets, behalve toekijken en me inhouden.

En ik zag dat hij genoot. Hij wist dat ik me zat op te vreten omdat ik niets kon doen, hoopte natuurlijk dat ik zou flippen. Maar ik gaf hem niet wat hij wilde. Dat had ik nog nooit gedaan en daar zou ik ook nu niet mee beginnen.

Ik stopte gewoon alle energie die ik had in de tweeling. Die hadden geen idee van wat er allemaal aan de hand was en van mij zouden ze het zeker niet te horen krijgen. Ze hadden het immers allemaal al een keer moeten meemaken en ik had gezien hoe vreselijk ze het gevonden hadden toen ik naar Jan en Grant vertrokken was; geen haar op mijn hoofd die eraan dacht om ze dat nog een keer aan te doen.

Al die avonden waarop ze me opgebeld hadden voordat ze gingen slapen; hoewel ze nooit echt gehuild hadden aan de telefoon, had ik toch de angst in hun stemmen kunnen horen. Ik wist dat, zodra het gesprek beëindigd was en ze alleen in hun bedjes lagen, de tranen zouden komen. Het brak mijn hart, ik voelde me zo schuldig, alsof ik ze in de steek gelaten had, net zoals Annie.

Nee, alles moest gewoon doorgaan als altijd, en daarbij hoorde dat ik er voor ze was.

Zaterdagmiddag is contactmiddag. Dat is al zolang ik het me kan herinneren, en zoals altijd is de tweeling helemaal opgewonden.

'Waar denk je dat mama ons mee naartoe zal nemen, Billy?' vraagt Louie.

'De bioscoop. Dat heeft ze vorige week beloofd.' Lizzie twijfelt geen moment en ik kan het niet over mijn hart verkrijgen om haar te corrigeren. Annie heeft een lijstje met dingen, waar ze de tweeling mee naartoe kan nemen. Allemaal zo goedkoop mogelijk, en de bioscoop hoort daar zeker niet bij.

Maar ze komt tenminste opdagen tegenwoordig. Er zijn tijden geweest in het verleden, dat dit maandenlang niet het geval was. En denk maar niet dat ze zich ooit verontschuldigde. We mochten al blij zijn als ze aan onze verjaardagen dacht. Niet, dat de tweeling dit in de gaten had. Na een tijdje was ik een meester in het imiteren van mijn moeders handschrift op een kaart.

'Waarom kom je vandaag niet met ons mee, Billy?' vraagt Louie. 'Mama vindt dat vast niet erg. Die vindt het vast geweldig om ons allemaal mee te nemen.'

De moed zinkt me in de schoenen, zoals altijd. Ze begrijpen er niets van, en waarom zouden ze ook? Hoe moest je aan je kleine broertje en zusje uitleggen dat jullie moeder *jou* niet meer wilde? Dat ze alleen nog maar geïnteresseerd was in hen?

'Luister, Louie. Jullie hebben maar twee uurtjes per week met Annie. Dan wil je mij er niet ook nog eens bij hebben. Bovendien vind ik de bioscoop toch niet zo leuk. Dus ga nu maar en geniet ervan. Ik wacht op jullie wanneer jullie terugkomen.'

Louie haalt zijn schouders op, zoals altijd, en begint weer te trappelen van opwinding.

Annie arriveert op tijd en ziet er beter uit dan ooit. Misschien dat ze haar kleren een keer ergens anders dan in de kringloopwinkel gekocht heeft. Ze probeert zelfs een soort gesprek aan te knopen. 'En, hoe gaat het, Bill? Ik hoorde dat je binnenkort weer naar school gaat. Dat is geweldig nieuws.'

Ik dwing mezelf te glimlachen, voor de tweeling. 'Ja, over een paar weken. Komt vast goed.'

'Dat mag ik hopen. Het is heel belangrijk dat je eindelijk eens wat diploma's haalt. Ik wil namelijk niet dat je dezelfde fouten maakt, die ik destijds gemaakt heb.'

Ik probeer mijn afschuw weg te slikken. *Zoals het verkiezen van je alcoholistische vriendje boven je kinderen?* Eerlijk gezegd staat dat niet bovenaan mijn lijstje van prioriteiten.

'Waar gaan we vandaag heen, mama?' roept Lizzie, bijna duizelig van opwinding inmiddels.

'Weet je dat dan niet meer, schatje?' lacht Annie, haar stem schor van het vele roken.

'BIOSCOOP!' brult de tweeling in koor.

'Precies. Beloofd is beloofd, en ik kijk er al de hele week naar uit.' Op dat moment verschijnt Ronnie in de deuropening. Hij trekt zijn jas aan en begroet Annie, terwijl hij de tweeling een klopje op hun hoofd geeft. Snel doe ik een stap achteruit, als de dood dat hij plotseling ook iets dergelijks bij mij wil doen.

'Oké, jongens, zijn we er klaar voor?' roept hij, terwijl hij de trap naar het parkeerterrein afloopt.

Louie lijkt even te aarzelen en kijkt me wat onzeker aan, voordat hij me een knuffel geeft.

'Tot straks, grote vent,' zeg ik met een geforceerde glimlach. 'Heel veel plezier. Bewaar wat popcorn voor me!'

'Echt niet!' lacht hij, terwijl hij zich van me losmaakt. Meteen voel ik het gemis.

Lizzie is al halverwege de auto, nog altijd dansend aan Annies hand. 'Shit,' mompel ik.

Terwijl ze zo weglopen met z'n vieren, zien ze er in mijn ogen iets teveel uit als een gelukkig gezinnetje.

Ik vind het maar niks. Annie doet duidelijk haar best, speelt op overtuigende manier de rol van liefhebbende moeder. Dit is niet goed. Dit is helemaal niet goed.

Die avond wil de tweeling niet naar bed. Zelden heb ik ze zo opgewonden gezien, er is niets met ze te beginnen. Hun hoofdjes zijn nog vol van bioscoop en popcorn. Zelfs Ronnie blijft maar glimlachen. En dat gebeurt normaal nooit wanneer hij weekenddienst heeft.
'Je had de special effects moeten zien, Billy,' roept Louie. 'Die waren echt gaaf. Volgens mama waren alle explosies echt, en zo zagen ze er ook uit, maar ik weet dat het allemaal met computers gedaan was.'
'En je had de zak popcorn moeten zien die Louie had,' zegt Lizzie.
'Ik denk dat ik me er wel een voorstelling van kan maken,' zeg ik, terwijl ik voor de vijfde keer probeer het verhaaltje uit te lezen.
'Mama zei dat we volgende week misschien weer kunnen gaan. Dan ga je toch wel mee, of niet, Bill? Ik heb tegen mama gezegd dat je mee zou gaan.'
'We zullen wel zien,' zeg ik glimlachend, terwijl ik de dekbedden onder hun voeten instop. 'Maar nu is het echt bedtijd. Ik zie jullie morgenochtend weer.'
Bij de deur aangekomen, stop ik om te wachten op de vraag, die elke avond opnieuw gesteld wordt: 'Blijf je bij de deur zitten tot we in slaap zijn, Bill?'
Maar die avond blijft de vraag uit. In plaats daarvan kletsen ze opgewonden over wat ze gezien hebben, wat ze gedaan hebben, en wat Annie voor ze gekocht heeft op weg naar de bioscoop.
Het doet mijn toch al niet zo beste humeur van die dag geen goed.
Nadat de tweeling vertrokken was, had ik niet geweten wat ik moest doen, en dus had ik gedaan wat ik altijd deed. Op mijn bed liggen en naar het plafond staren, de sterren tellen van links naar

rechts. Vanaf de deur naar het raam en weer terug. Drieënzeventig, zoals altijd.

Het liefst had ik het op een zuipen gezet en wanneer ik niet die laatste waarschuwing gekregen had, dan was ik ook zeker even langs de pub gegaan om daar wat drank te scoren.

Het maakte me niet uit wat ik dronk. Bier was prima, maar wodka was sterker. Bovendien roken de klootzakken het dan niet aan je adem.

De enige drank, die ik niet aanraakte, was whisky.

Whisky stond namelijk gelijk aan Shaun.

Dat was zijn gif, de drank die pas echt het slechtste in hem naar boven haalt. De drank die hem naar mij toe leidde. De geur alleen al zorgt er tegenwoordig voor dat de rillingen me over mijn rug lopen.

Hoe dan ook, die middag wist ik de drank te weerstaan.

Vanwege de tweeling. Vanwege wat er zou gebeuren, wanneer ze mij zouden betrappen. Wat er met hen zou gebeuren.

Dus het feit dat ze zo enthousiast waren over Annie, stak me nogal. Maar ik mocht het niet laten blijken. Ze had ze al vaker teleurgesteld. Niet recentelijk meer, maar het was slechts een kwestie van tijd voordat ze het weer zou verknallen.

En dus bleef ik zoals altijd in de deuropening zitten en luisterde naar hun gekwebbel.

Het duurde een goed uur voordat ze uitgepraat waren. Eerlijk gezegd wist ik niet eens of ze wel doorhadden dat ik er al die tijd zat. Al hoopte ik het wel.

Toen ze eenmaal sliepen, sloop ik naar buiten en sloot de deur zachtjes achter me.

Het huis was behoorlijk stil voor een zaterdagavond, iets, wat de klootzakken zeker zou bevallen. Het was tijd voor de wisseling van de wacht. Ron zou weer naar zijn echte familie thuis vertrekken, naar zijn mooie vrouw en zijn perfecte zoons, zodat de tehuiskinderen de volgende ochtend weer met andere gezichten geconfronteerd zouden worden.

Zachtjes sloop ik de trap af, in de hoop dat ik de tv-kamer zou bereiken zonder Ronnie tegen te komen, voordat die zou vertrekken. Hij zat in het kantoor, waar hij de nachtploeg op de hoogte bracht van wat er die dag allemaal gebeurd was.

Maar terwijl ik langs het kantoortje sloop, hoorde ik Annies naam vallen. Was het een andere naam geweest, dan was ik zeker doorgelopen, maar de paranoia was nog niet helemaal verdwenen.

'Tja, ik moet zeggen dat ik ook weer behoorlijk onder de indruk was.' Dat is Ron. 'Ik ken haar inmiddels toch al een hele tijd, en weet dus hoe erg ze eraan toe kan zijn. Sterker nog, in het begin was er zelfs een hele periode waarin ik haar helemaal niet zag. Maar ik heb toch echt de indruk dat ze zich gebeterd heeft.'

'Maar voor hoelang?' vraagt een sceptische stem. Het is Mally, iemand van de nachtdienst. Een van mijn favorieten, die tenminste niet altijd controleert wat ik aan het doen ben. 'Hebben we dit niet allemaal al een keer eerder meegemaakt?'

'Toch voelt het dit keer anders, Mal.' Ronnie weer. 'Ik weet dat ze in het verleden onbetrouwbaar was, maar inmiddels gaat het al een jaar lang goed. Zoals ze ook beloofd had.'

'Dus ze wil meer contact met de tweeling?'

Ik sluip nog wat dichter naar de deur.

'Ja, vanaf volgende maand eerst twee keer per week en als dat goed gaat, zal ze ze ook vaker zonder toezicht mogen zien. Dat is wat we tijdens het laatste beoordelingsgesprek afgesproken hebben.'

*O ja? Dit is anders voor het eerst dat ik ervan hoor.*

Ik kan de grijns op Ronnies gezicht bijna zien.

Het laatste waar de tweeling behoefte aan heeft, is meer gebroken beloftes van Annie. De klootzakken kunnen zich beter concentreren op het vinden van een fatsoenlijk pleeggezin voor ons drieën, of ons naar een kleiner tehuis overplaatsen. In plaats van zo aan te blijven modderen, hun tijd aan haar te verspillen.

'Annie is vastbesloten dit keer. Is ervan overtuigd dat ze klaar is met al die losers, waarmee ze zich in het verleden ingelaten heeft. En, eerlijk is eerlijk, van Shaun is al jaren niets meer vernomen. Het baantje, dat ze heeft weten te bemachtigen, lijkt ook geholpen

te hebben. Ze doet het nu al bijna een jaar. Je ziet gewoon hoe
ze veranderd is.'
'Wel een beetje laat,' smaalt Mally.
Hij heeft het duidelijk niet zo op met Annie. Geweldige vent.
'De Finn-kinderen wonen hier nu al acht jaar. Denkt ze nu serieus
dat ze de tweeling na zo veel tijd weer terug kan nemen?'
Het bloed klopt zo hard in mijn hoofd dat ik bang ben dat mijn
gehoor erdoor aangetast wordt.
Ik hoop het maar.
'Het is hoogst ongebruikelijk, dat geef ik toe. Maar wat is het
alternatief, Mal? De tweeling wordt straks tien. Het is niet ge-
makkelijk om voor kinderen van die leeftijd nog een pleeggezin
te vinden. Vooral niet wanneer het er twee zijn. Kijk wat er met
Bill gebeurde. Hij was binnen zes maanden weer terug.'
Mally zucht. 'Het is juist ook Billy, om wie ik me zorgen maak.
Ik weet dat het geen makkelijke knul is, maar de tweeling is het
enige, wat hem nog enigszins op het rechte pad houdt. Wanneer
je hen terugstuurt naar Annie, zal hij er zeker aan onderdoor gaan.
Tenzij ze ze alle drie terugneemt.'
'Zo gemakkelijk is dat helaas niet,' zegt Ronnie. 'Toen de familie
Scott hem permanent wilde opnemen heeft ze Billy opgegeven
voor adoptie. Ik ben bang dat het juridisch gecompliceerd zal
zijn om dat nog terug te draaien. Bovendien, denk je dat ze ze
alle drie aan zou kunnen? Ik denk toch dat we ons hier moeten
concentreren op de tweeling, ervoor moeten zorgen dat zij weer
naar huis kunnen. Voor Billy is het wat dat betreft gewoon te
laat.'
Ik kan mijn oren niet geloven. Het liefst had ik zijn hoofd eraf
getrokken. Ze zijn hier dus al maanden mee bezig, weten al die
tijd al dat de tweeling van me afgenomen zou worden, dat ze naar
haar teruggestuurd zouden worden. Met de grootst mogelijke
moeite weet ik mezelf ervan te weerhouden de deur in te trappen
en hem naar de keel te vliegen.
Ik moet nadenken. Mijn gedachten op een rijtje zetten. Of ik zou
iemands nek moeten omdraaien. Maar ik weet dat geen van beide

een optie is. Dat zou noch mijzelf, noch de tweeling helpen. En dus ren ik naar de voordeur en storm naar buiten, de donkere nacht in.

# 6

Ik wou dat ik kon zeggen dat ik me beter voelde, zodra ik eenmaal buiten was, maar dat was niet zo. Ik snapte niets van wat ik zojuist gehoord had. Kon er niet over uit dat de Kolonel dit allemaal achter mijn rug om had zitten plannen.

Maar ik was niet alleen boos op hem maar ook woedend op mezelf, omdat ik het niet eerder in de gaten gehad had. Al die onzin die ze me tijdens mijn beoordeling op de mouw gespeld hadden over mij nog een laatste kans geven, over dat ik mijn gedrag moest veranderen voor de tweeling, over dat we samen zouden blijven. Allemaal lulkoek. Smerige klootzakleugens.

Meestal wanneer ik zo opgefokt ben, wil een avondwandelingetje nog wel eens helpen. Omdat er dan meestal niemand meer op straat is en je dus minder in de gaten loopt.

Begrijp me niet verkeerd. Ik ben niet zo iemand die rondloopt met een spuitbus om fietstunneltjes of viaducten artistiek te bekladden, of die zijn naam met een zakmes in de muren krast. Ik ben niet creatief en ik wil al helemaal niet dat de klootzakken kunnen zien waar ik geweest ben.

Nee, wanneer ik ervoor in de stemming ben, ga ik gewoon op zoek naar een auto die ik kan bekrassen of een raam dat ik kan inslaan. Daar is niets artistieks aan; het geeft me alleen een goed gevoel. Zorgt ervoor dat de mist even een paar minuten lang optrekt, waardoor ik een glimp van de sterren op kan vangen.

Maar die avond vind ik niks wat aan mijn behoeftes voldoet. Geen raam is groot genoeg om me van die ellendig grote knoop in mijn maag af te helpen, en geloof me, ik heb er een paar geprobeerd.

Zelfs niet nadat ik eerst Ronnies gezicht erop geverfd heb. Voordat ik het met één klap kapotsla.

Ik ben behoorlijk handig met mijn vuisten.

Anders zou je het ook nog geen vijf minuten volhouden als tehuiskind, laat staan acht jaar.

Er gaat zelden een dag voorbij in ons tehuis, zonder dat er gevochten wordt. Meestal begint het al tijdens het ontbijt, wanneer bijvoorbeeld iemand de cornflakes opgegeten heeft, waarop iemand anders net zijn zinnen gezet had. Van die belangrijke dingen in het leven, weet je wel.

Het is ook niet gek dat bij het minste of geringste meteen geknokt wordt. Zodra ik 's ochtends mijn ogen open en me realiseer dat ik nog altijd in Oldfield House ben, voel ik me tenminste meteen alweer behoorlijk agressief worden.

Dus wanneer je negen of tien van die chagrijnige kinderen bij elkaar in dezelfde ruimte zet, nou ja, dat hoef ik verder toch niet uit te leggen, of wel soms?

Maar de klootzakken snappen het blijkbaar nog steeds niet en Ronnie voelt niets voor mijn idee, om iedereen zijn ontbijt op bed te serveren.

'Dat zou thuis ook niet gebeuren, Bill, en dus doen we dat hier ook niet. Wij zijn een familie. En families eten samen.'

Ja hoor, tuurlijk. Vreemd genoeg herinner ik me geen vechtpartijen tussen familieleden over het laatste restje Coco Pops. Lag zeker nog te slapen, de dag dat dat gebeurde.

Maar uiteraard weten alle andere tehuiskinderen heel goed dat ze beter uit mijn buurt kunnen blijven.

Of uit de buurt van de tweeling. En trouwens niet alleen tijdens het ontbijt. Gedurende de hele dag. Ze weten dat er maar weinig voor nodig is, om een mep van mij te krijgen.

De Kolonel vindt mijn talent voor het uitdelen van een zuivere rechtse maar niks. Op een gegeven moment had hij bedacht dat hij mij misschien dan maar het beste ook op boksen kon doen. Waar hij dat op baseerde? Het leger natuurlijk.

'Daar hadden we ook wat mannen die moeite hadden met discipline. Het eerste wat we deden, was ze in de ring zetten. Daar konden ze hun agressie kwijt.'

Ik was niet onder de indruk.

'Dus, wat dacht je ervan, Bill?' vroeg hij.

'Waarvan?'

'Om het eens te proberen. Boksen.'

'Tegen wie zou ik dan moeten vechten?'

'Geen idee. Andere jongens van jouw leeftijd. En misschien ook wel oudere mannen, wanneer je goed genoeg bent.'

'Maar niet tegen jou?'

'Nee, natuurlijk niet.'

'Laat dan maar zitten.'

Echt. Hij heeft gewoon te veel films gekeken. Wanneer hij serieus denkt dat ik opeens helemaal zou veranderen en mezelf zou ontdekken, door een paar bokshandschoenen aan te trekken, dan heeft hij waarschijnlijk zelf ooit iets te veel klappen gehad.

Denkt hij nou echt dat ik het leuk vind om te vechten? Wanneer hij er goed over na zou denken zou hij zich toch wel realiseren dat ik alleen maar met mijn vuisten denk vanwege de manier waarop hij mij behandelt. De manier waarop hij mijn leven probeert te bepalen.

Terwijl ik voor hem slechts werk ben.

Het is niet dat ik hem echt wat kan schelen, niet zoals bij zijn eigen kinderen. Waar hij het echt altijd over heeft. De voetbalteams waarvoor ze zijn uitgekozen. De examens die ze gehaald hebben. Ik hoor zoveel over ze, dat ik soms het gevoel heb dat ik met ze samenwoon. Niet dat hij ze ooit ook maar in de buurt van het tehuis gebracht heeft. Nee, zijn kostbare zoontjes mogen natuurlijk niet in contact komen met jongens als ik.

Ik bedoel, denk je eens in wat er zou gebeuren wanneer ik ja zou zeggen tegen dat hele boksgedoe.

Je zou het waarschijnlijk kunnen vergelijken met het schudden van de grootste colafles ter wereld, waarna je de dop eraf haalt en vervolgens niet meer weet hoe je hem er weer op moet krijgen.

Denkt hij nou serieus dat ik op zou houden met slaan zodra de bel zou gaan?

Daarvoor heb ik te veel opgekropte woede, die eruit wil.

Ze zouden me met een kraan die ring uit moeten slepen, voordat ik zou stoppen met slaan.

Naar mijn idee is er maar één plek, die me die nacht zou kunnen helpen. Eén plek, waarvan ik denk dat mijn hoofd er even tot rust zou kunnen komen. Een maand eerder was het ook gelukt, dus dacht ik dat het geen kwaad kon om hetzelfde trucje nog een keer te proberen.

Naarmate ik dichter bij het huis kwam, schakelde ik over op de automatische piloot. Hoewel het drie jaar geleden was sinds ik de route dagelijks gelopen had, stond die toch nog in mijn geheugen gegrift. De snelle sprint over de dubbele rijbaan, even tegen de bloemen aanschoppen die bloeiden in de middenberm. Vervolgens over Garton Avenue, linksaf bij het veldje waar de plaatselijke jeugd, inclusief mijzelf, altijd bij elkaar kwam om op te drinken wat ze thuis of in de pub hadden weten te gappen. Daarna nog een laatste keer rechtsaf, Walton Street in, langs de donkere plek waar de eerste twee straatlantaarns nog altijd kapot waren. Niet door mijn toedoen trouwens, mocht je je dat afvragen.

Ik stopte en leunde tegen de tweede lantaarnpaal, durfde voor het eerst een blik op het huis van Jan en Grant te werpen.

Ik wist dat de volgende fractie van een seconde mijn humeur voor de rest van die nacht zou bepalen. En ik had die rust voor mijn hoofd zo nodig.

Dat eerste uitstapje hierheen, een maand geleden, had ik niet van tevoren gepland. En ik had al helemaal niet gepland om ook naar binnen te gaan.

Ook toen was het de automatische piloot geweest die me erheen gebracht had. Ik had een vreselijke avond gehad, het resultaat van een vreselijke dag. Ronnie en de andere klootzakken hadden me weer eens in de houdgreep genomen omdat ik een van de andere tehuiskinderen aangevlogen was, nadat die de fout gemaakt had om Louie af te blaffen. Ik was niet eens te ver gegaan, had hem alleen maar een paar klappen gegeven om duidelijk te maken dat ik het er niet mee eens was. Het was niet alsof ik zijn neus gebroken had of zo. Hij bloedde alleen blijkbaar nogal snel.

Hoe dan ook, de twintig minuten daarop had ik met mijn gezicht op het tapijt gelegen, dankzij een paar zwaarlijvige klootzakken. En om wat voor reden dan ook had ik het me vreselijk aangetrokken. Misschien omdat Louie me daar op de grond had zien liggen. Hij had me gesmeekt om te kalmeren. Had zelfs geprobeerd om me nog even over mijn hoofd te aaien, voordat een van de andere klootzakken hem weggetrokken en naar de tv-kamer gebracht had, waar ook de rest van de kinderen zat.

Terwijl het langzaam avond geworden was, had ik alleen zijn gezicht nog maar voor me gezien, vertrokken van ongerustheid, terwijl hij zich over me heen gebogen had. En het enige wat ik nog kon denken was, *Waarom vroeg hij me om te kalmeren? Waarom klom hij niet op Ronnies rug, vertelde hij hem niet dat hij van me af moest blijven? Waarom nam hij het niet voor me op?*

Zodra ik het licht had zien branden, had ik geweten dat ik naar binnen moest. Het was een te mooie kans geweest om te laten schieten. Om wat voor reden dan ook wist ik dat ik daarbinnen rust zou vinden. Of in elk geval opluchting.

Ik haal diep adem en kijk op mijn horloge.

Kwart over tien.

Perfecte timing, maar als ik opkijk naar het huis weet ik meteen dat ik dit keer minder geluk heb. Het licht in de gang is aan, perfect, maar ook het licht op de overloop brandt. En in hun slaapkamer.

Ze zijn dus thuis en het lijkt een gewone avond in het huis van de familie Scott te zijn. In gedachten zie ik ze voor me, Jan rommelend in de badkamer, terwijl Grant nog droomt over één pilsje, wetende dat hij gedonder krijgt, als hij dat daadwerkelijk nog zou nemen.

Ze zijn zo voorspelbaar. Totdat de voordeur opengaat tenminste, en Grant naar buiten stapt, waardoor ik me snel in de schaduw terug moet trekken.

Fronsend tuurt hij de straat in, telkens op zijn horloge kijkend.

Ik ben zo overdonderd door dit afwijkende gedrag, dat ik niet weet of ik moet blijven staan of terug moet gaan. Er is tenslotte geen enkele kans dat ik hier vanavond naar binnen kan komen.

Terwijl ik opnieuw naar het huis kijk, heeft Jan zich inmiddels bij Grant gevoegd. Ze streelt zachtjes over zijn arm, voordat ze hem weer mee naar binnen neemt.

Veel keus heb ik niet.

Buiten kou vatten of teruggaan naar die klootzakken, in de hoop dat ze mijn kamer nog niet gecontroleerd hebben.

De straten van onze stad zijn een soort windtunnels.

De weg naar school is kaarsrecht en zeker tweehonderd meter lang.

Eroverheen fietsen is altijd doodvermoeiend. De wind is mee-dogenloos. Waait onder je kleren en beukt tegen je fiets, totdat je serieus denkt dat je achteruit gaat. Maar ik vecht er altijd tegen, zie het als een uitdaging.

Houd het vol, door mezelf voor te houden dat het gemakkelijker zal zijn op de terugweg, wanneer ik de wind in de rug heb.

Behalve dan dat dat nooit gebeurt.

De terugweg is namelijk altijd precies hetzelfde. Diezelfde on-ophoudelijke orkaan in je gezicht, waardoor je je fiets amper overeind kan houden. Dan kijk ik naar de fietsers op de andere rijbaan, die in de tegenovergestelde richting rijden. Het liefst had ik naar ze geroepen. Had ik ze gevraagd of zij snappen hoe dit mogelijk is. Wat we konden doen om het allemaal een beetje draaglijker te maken.

Maar één ding zeg ik je. Afstappen doe ik niet. Nooit.

Ik laat me niet verslaan.

En die avond is dat niet anders.

Dus zodra ik de eerste vlagen aan mijn jas voel rukken, trek ik mijn kraag op en ga ik ervoor – me niet bewust van het feit dat het hier om een storm gaat, die ik nog nooit eerder tegengekomen ben.

Eentje die het misschien wel van me zou gaan winnen.

# 7

Ik zie haar al snel. Zodra ik weer in de buurt van het veldje ben. Ze heeft haar jas dicht om zich heen geslagen en is diep weggedoken in haar kraag, om haar gezicht zo veel mogelijk tegen de wind te beschermen.

Misschien dat ze ze daarom niet ziet.

Maar ik heb ze wel gezien.

Het komt zelden voor dat het bankje aan het veldje leeg is, ook al is het nog zo koud, en ook nu zitten er drie figuren een blikje drank te delen. Ik herken ze niet, het zijn niet de gebruikelijke jongens. Deze zijn ouder, wat me verbaast, want ik zou in hun plaats allang de kroeg opgezocht hebben, in plaats van hier mijn ballen eraf te laten vriezen met een paar blikjes bier.

Maar ze lijken er niet mee te zitten en aan de taal te horen, die ze uitkramen, terwijl ik nader aan de overkant van de weg, hebben ze inmiddels al een aardige slok op. Genoeg om de kou de baas te kunnen, tenminste.

Ik houd mijn hoofd recht en mijn blik strak naar voren. Ik wil vooral niet de indruk wekken dat ik bang ben en, om wat voor reden dan ook, lijkt het te werken. Ze wauwelen gewoon door en ik glip langs ze heen.

Maar ik weet dat het bij haar zeker niet zo zal werken. In welke richting ze ook zou kijken.

En inderdaad, nog maar amper ben ik ze gepasseerd, of ze lijken haar al in de gaten te hebben.

'Nee maar, wat hebben we daar? Hé, jongens, kijk naar rechts.'

'Ik zie het! Lekker ding hoor, heel lekker ding,' gevolgd door dronken gelach.

Ik hoor het gekletter van een blikje dat op straat valt, op het moment dat ze opstaan. Voorbij is de stilte.

Niet dat het in mijn hoofd stil is. Het bloed klopt nog altijd in mijn oren, vanwege de frustratie eerder, toen ik niet bij Jan en Grant naar binnen bleek te kunnen. En het vooruitzicht van opnieuw een slapeloze nacht in mijn kamer helpt ook niet bepaald mee. Was het warmer geweest, dan zou ik zelf ook ergens met een blikje drank zijn gaan zitten. In het verleden had cider al vaker met succes mijn ellende kunnen wegspoelen.

Maar met deze jongens zou ik niet drinken. Ik weet heus wel dat ikzelf ook niet het braafste jongetje van de klas ben, maar met deze jongens moet je echt oppassen, dat voel ik gewoon. Terwijl ik verder loop, hoop ik maar dat het meisje hetzelfde voelt.

Vanaf de overkant van de straat kijk ik naar haar, terwijl ze mijn kant op komt. Haar gezicht, voor zover ik dat zien kan, verraadt niets.

Emotieloos.

Blik strak vooruit gericht.

Ze heeft ze dus wel degelijk gezien.

Ik kijk nog een keer naar haar ogen.

Ken ik haar?

Ik heb het gevoel van wel, maar waarvan weet ik niet.

Ik ga langzamer lopen, stop niet, maar schakel enkel een versnelling terug.

Zo meteen is ze er voorbij, denk ik, dan versnelt ze haar tempo en, wanneer ze slim is, pakt ze haar telefoon. Om degene, naar wie ze op weg is, te laten weten dat ze er bijna is, ook al is dat niet het geval.

Ik huiver.

*Waarom zat ik hiermee?*

*Wat had ik er mee te maken?*

Wanneer ze stom genoeg is om in zo'n situatie terecht te komen, dan is het ook haar eigen schuld. Dan moest ze zich zelf maar zien te redden.

Maar aangekomen bij de hoek van de straat ga ik toch wat langzamer lopen en kijk ik nog een keer achterom.

Het is dat knagende gevoel dat ik haar ergens van ken, waardoor ik uiteindelijk stop. Vanuit de schaduw kijk ik naar het veldje.

Het gejoel is inmiddels toegenomen, maar haar tempo nog altijd niet. Ze loopt gewoon door, alsof ze niets in de gaten heeft.

'En waar ben jij op weg naartoe, schoonheid?'

*Alsof dat hun wat kon schelen.*

'Kom op, waarom die haast? Drink even gezellig wat met ons mee.'

Zodra ze ter hoogte van het bankje aangekomen is, verschansen ze zich op de stoep, waardoor ze geen andere keus heeft dan de weg op te lopen. Of dwars door ze heen te gaan.

En dat is wat ze doet.

Zonder enige aarzeling.

Ze marcheert gewoon dwars door ze heen.

Hier hebben ze niet op gerekend uiteraard, en al helemaal niet op het feit dat de jongen met het blikje in zijn hand alle cider over zich heen krijgt.

'Stomme koe,' roept hij. 'Moet je zien wat je gedaan hebt.'

Het feit dat zijn twee vrienden het bijna in hun broek doen van het lachen, maakt zijn humeur er niet beter op en dus holt hij achter haar aan, terwijl hij verwoed met zijn vinger naar haar wijst.

'Hé!' schreeuwt hij. 'Hé! Waar denk je dat je naartoe gaat?'

Met elke stap die ze zet, wordt zijn stem een beetje hoger van woede. En wanneer ze niet stopt, gebeuren er twee dingen, die ik niet heb zien aankomen.

Eén.

In plaats van haar om te draaien, zodat ze hem aan zou kijken, of haar in te halen, pakt hij haar gewoon bij haar haren en trekt er zo hard aan, dat ik bijna verwacht dat er een hele bos haar loskomt.

Twee.

In plaats van het uit te schreeuwen van pijn, zoals iedereen zou doen, tilt het meisje enkel haar rechtervoet op en trapt de jongen tegen zijn wang. Zo hard, dat ik het van dertig meter afstand kan horen kraken.

Zijn hand, die nog altijd haar haren vasthoudt, schiet naar zijn wang, terwijl hij in elkaar zakt op de grond en zichzelf tot een bal oprolt, alsof hij nog veel meer klappen verwacht.

En daarmee begint het allemaal.

Het lachen verstomt en maakt plaats voor een bezeten gebrul, terwijl de twee andere jongens op haar afvliegen.

Misschien dat ze beseft dat ze toch geen schijn van kans maakt om ze voor te blijven – wat de reden ook is, ze probeert er niet eens vandoor te gaan. Ze kijkt de jongens alleen maar aan, terwijl ze op haar afkomen. Pas als de eerste van de twee haar een mep in haar gezicht geeft, waardoor ze door haar knieën zakt, slaat ze haar ogen neer.

Ik ren erop af, denk er nu niet meer aan om verder te lopen.

Zelfs met een van de drie uitgeschakeld is de kans nog altijd klein dat ik iets tegen ze uit kan richten. Het zijn tenslotte geen kinderen meer en ze weten van wanten. Dit is duidelijk niet hun eerste vechtpartij.

En dus is het tijd voor een verrassingselement.

Dit werkt prima bij nummer één, die meteen neergaat, nadat hij mijn onderarm tegen de achterkant van zijn hoofd aangekregen heeft. Maar voordat ik er erg in heb, heeft nummer twee mijn hoofd al in de houdgreep, waarna hij me dubbel vouwt en zijn knie tegen mijn wang aan ramt.

De grond begint voor mijn ogen te draaien, maar de knie is nog niet weg, of ik word alweer overeind getrokken, mijn armen op mijn rug gepind, terwijl de jongen die ik neergehaald heb, op me af gewankeld komt, het grind nog uit zijn handpalmen plukkend. 'Het wordt steeds leuker. Jij bent zeker het vriendje van die stomme koe?' hijgt hij triomfantelijk. 'Wat is jullie probleem? Hebben jullie dan helemaal geen manieren?'

Hij beukt zijn linkervuist in mijn maag, voordat hij me met een knie tegen mijn voorhoofd weer rechtop dwingt.

Mijn hoofd tolt en mijn oren suizen. Maar ik ben nog niet klaar. In geen geval zou ik me door deze losers in de goot laten achterlaten, zeker niet na de dag die ik gehad heb.

Opnieuw komt hij dichterbij, grijnzend naar de eikel die mij nog altijd van achteren beet heeft. Maar hij wacht net iets te lang, waardoor ik me even kan concentreren, en zodra hij binnen bereik is, zwaai ik mijn voet tussen zijn benen, waarbij ik hem frontaal in zijn ballen raak.

Hij strompelt achteruit en grijpt naar zijn ballen, alsof hij bang is dat ze anders weg zouden rollen, en ik richt nu mijn aandacht op de vent achter me. Terwijl die over mijn schouder naar zijn maatje kijkt, sla ik mijn hoofd naar achteren, tegen zijn neus aan. Niet hard genoeg om hem onderuit te laten gaan, maar hard genoeg om zijn greep te doen verslappen.

Ik draai me om, de adrenaline schiet door mijn lijf, en ik duw hem achteruit.

'Jullie moeten wat zeggen over manieren,' roep ik. 'Drie van die grote eikels tegen één meisje. Wat voor hufters zijn jullie?'

Zonder verder nog te aarzelen, sla ik hem neer. En trap nog een keer na.

En nog een keer.

En nog een keer.

En nog een keer.

De dop is van de fles en ik ben niet meer te houden.

Totdat ik opnieuw op straat lig, van achteren neergehaald.

Terwijl ik me omdraai, mijn handen beschermend om mijn hoofd, zie ik de eerste jongen, die achter het meisje aangegaan was, over me heen geleund staan, zijn gezicht vertrokken van woede, zijn drankadem in mijn gezicht.

'Wie denk je wel niet dat je bent? Superman of zo? Luister vriend, je had ons beter met rust kunnen laten. Dit had niets, HELEMAAL NIETS met jou te maken. Maar nu wel. Jij bent degene die van niets iets gemaakt heeft.'

Ik zie iets opflitsen en weet dat het een mes is. Daarvoor hoef ik het niet eens goed te zien. Ik weet meteen, instinctief, dat hij me zonder pardon neer zal steken.

En ik lig daar.

Zo stil mogelijk.

Maar ik blijf hem aankijken. Ik laat hem in geen geval merken dat ik bang ben.

Omdat ik dat ook niet ben.

Nog nooit eerder heeft iemand me met een mes bedreigd, maar ik heb al wel heel wat andere nare situaties meegemaakt en ook die heb ik uiteindelijk altijd weer overleefd.

Op de een of andere manier voel ik me onoverwinnelijk, onaantastbaar. Alsof ik *inderdaad* een soort Superman ben.

Ik begin te lachen. Wat hem van zijn stuk brengt en nog kwader maakt. Hij pauzeert even, alsof hij er zeker van wil zijn dat hij het goed ziet, en terwijl hij zo over me heen gebogen staat, zie ik achter hem iets opflitsen. Geen mes, maar iets groters en zwaarders. En het volgende moment valt hij bovenop me, waardoor ik het zicht op de sterrenhemel boven me verlies.

# 8

Het kost me zo veel moeite om het lichaam van me af te duwen, dat ik even bang ben dat er een klomp hersenmassa aan de spade in haar hand kleeft.

Niet dat zij ermee lijkt te zitten. Ze staat even over zijn lichaam heen gebogen en smijt dan het stuk gereedschap er bovenop, voordat ze zich tot mij wendt.

'Die is voorlopig nog wel even onder zeil, maar ik zou hier toch maar zo snel mogelijk weg zien te komen.'

Ze pakt haar tas op van de grond en draait zich om.

'Hé, wacht even,' roep ik, terwijl ik moeizaam overeind kom. 'Gaat het wel een beetje?'

'Met mij?' vraagt ze, zonder zich om te draaien. 'Ja hoor, prima. Ik ben ook niet degene die klappen gekregen heeft.'

'Maar die vent had je daarnet anders wel even goed te pakken.'

Ze stopt nog steeds niet, maar werpt me nu wel even een blik toe, een boze uitdrukking op haar gezicht.

'Met mij is echt niets aan de hand. Maar jij bloedt, weet je dat?'

Ik veeg langs mijn neus en zie het bloed op de rug van mijn hand.

'Da's niets. Hij heeft me alleen recht op mijn neus geraakt.'

'O, gelukkig. Mooi.'

En dat, zo lijkt het, was dat.

Ze zwaait haar tas over haar schouder en loopt weg alsof ik niet besta.

Het duurt even voordat het tot me doordringt dat, wat haar betreft, het hoofdstuk nu afgesloten is.

Ik schud met mijn hoofd, even bang dat de klap mijn visie op wat er zojuist gebeurd is, veranderd heeft.

*Als ik me er niet mee bemoeid had, had zij nu diep in de problemen gezeten.*

Normaal zit ik niet zo met manieren, maar in dit geval vind ik toch wel dat er op z'n minst een bedankje vanaf kan. En dus loop ik achter haar aan, ik moet joggen om haar bij te houden.

'Dus dat was het dan?' zeg ik, tegen de achterkant van haar hoofd.

Maar de achterkant van haar hoofd heeft duidelijk geen zin om te praten.

En dus zeg ik het opnieuw. En weer blijft ze zwijgen.

'Ik zei, vergeet je niet wat?' En zonder erbij na te denken pak ik haar bij de schouder.

Helemaal fout. Razendsnel draait ze zich om, net zoals ze een paar minuten eerder gedaan heeft.

Haar arm haalt uit, ik strek mijn nek naar achteren, meer uit een soort reflex dan bewust, en voel de wind langs mijn kin suizen, terwijl haar vuist voorbij flitst.

'Shit,' roep ik, 'wat is er met jou aan de hand? Besef je wel wat daarnet gebeurd is? Die kerels wilden je in elkaar slaan!'

Nu lijkt ze me wel te horen.

'Wat? Totdat jij je ermee bemoeide, zeker? En nu moet ik dankbaar zijn of zo? Voor zover ik me kan herinneren is er hier maar één echt in elkaar geslagen, en dat was ik niet!'

Terwijl ze zo tegen me uitvalt, kijkt ze me voor het eerst echt aan en opnieuw bekruipt me het vage gevoel dat ik haar ken. Maar nog altijd weet ik niet waarvan.

Iemand, zo fel als zij, zou ik me toch wel herinneren.

'Wacht eens even. De enige reden, dat ik in elkaar geslagen ben, was jij. Ik was gewoon op weg naar huis en stopte alleen maar omdat die kerel jou een mep verkocht.'

'Dus wat wil je nou?'

'Wil? Ik wil helemaal niets. Luister. Laat ook maar. Ik hoop dat je veilig thuiskomt.' En met een laatste blik schud ik mijn hoofd en draai me om.

'Wacht,' hoor ik, ik denk tenminste dat ik het hoor, maar het is niet luid genoeg om me te laten stoppen.

'Ik zei WACHT.'

Luid genoeg. En dus draai ik me weer om.

Ze heeft zich nog niet bewogen. Dezelfde lege blik, dezelfde glazige ogen. Het enige wat anders is, is de blauwe plek op haar wang.

'Luister,' zegt ze. 'Ik ben je heus wel dankbaar, echt. Maar ik zeg dat soort dingen gewoon niet zo makkelijk. Bovendien heb ik je niet om je hulp gevraagd, weet je nog.'

'Da's waar.'

'Laten we dus gewoon zeggen dat we quitte staan, oké? Jij hielp mij. Ik hielp jou. Einde verhaal.'

En dan doet ze iets onverwachts. Ze steekt haar hand uit, wachtend tot ik hem zou schudden.

Ik pak hem niet meteen. Eerst staar ik er alleen maar naar, om er zeker van te zijn dat ze geen flauw grapje met me uithaalt. Maar dan doe ik onwillig een stap naar voren en pak hem beet.

Haar vingers zijn koud, maar dat zijn die van mij ook. En terwijl we elkaars hand schudden, voel ik hoe haar ijzigheid enigszins smelt. Dat denk ik tenminste. Haar gezicht is nog altijd hetzelfde, ze kijkt me nu alleen recht in de ogen, maar ik weet dat ze mij net zo bestudeert als ik haar.

En ik durf te zweren dat ook zij zich afvraagt of ze mij niet al ergens van kent. Maar het moment gaat voorbij en ze laat mijn hand los en draait zich om.

'Wacht even nog,' roep ik haar na. 'Moet je nog ver?'

'Waarom? Wat wou je doen dan? Me veilig naar huis brengen?'
Een vage glimlach speelt om haar lippen.

'Ik vroeg het me gewoon af.' Ik ben echt niet van plan om het aan te bieden, tenzij ze het zou vragen.

'Ik logeer even verderop, bij een paar vrienden van me.' Hoewel ze er niet al te blij bij kijkt. 'En ik denk dat ik het tot daar wel zonder jou red.'

'Oké, tot ziens dan maar.'

'Ja, wie weet.' En daarna loopt ze door, haar handen in haar zakken.

Terwijl ze wegloopt, realiseer ik me dat ze, sinds die vent haar geslagen heeft, niet één keer haar gezicht pijnlijk vertrokken of haar hand naar haar gezicht gebracht heeft. Geen moment de indruk gewekt heeft dat ze zich bewust is van de groeiende blauwe plek op haar wang.

En op dat moment dringt het tot me door dat ik haar *inderdaad* nog nooit eerder gezien heb. Maar dat ik haar wel ken. Ik weet het zeker. Ik durf erom te wedden. Wanneer ik geld gehad zou hebben.

Omdat ze hetzelfde is als ik.

Ook zij is een tehuiskind.

# 9

Ronnies woorden klinken nog na in mijn oren, terwijl ik de deur naar de klas open.

'Hou je een beetje gedeisd vandaag, Billy, oké? Probeer gewoon om, nou ja, niet al te veel op te vallen.'

Ik zucht bij de gedachte alleen al. Niet opvallen, en dan vooral op school…

Tot nu toe was dat namelijk altijd onmogelijk gebleken.

Tegen de tijd dat ik eindelijk met enige regelmaat naar de kleuterschool ging, had ik nog altijd moeite met tot tien tellen, terwijl de rest van de kinderen toen bij wijze van spreken al bezig was met de tafels van vermenigvuldiging.

Laten we het zo zeggen, vanaf het begin was meteen al duidelijk dat ik nooit een kandidaat in een rekenquiz zou zijn. En wanneer je niet zo goed mee kunt komen, is het moeilijk om niet op te vallen. Meestal had ik namelijk wel een extra leerkracht die me begeleidde, om mij keer op keer hetzelfde uit te leggen, in een poging me te laten snappen hoe iets in elkaar zat.

Uiteraard duurde het niet lang voordat de andere kinderen dit in de gaten hadden, en zevenjarige kinderen moet je niet onderschatten. Die pikten haarfijn het afwijkende kind eruit om het vervolgens flink te pesten.

En het waren niet alleen de kinderen, die wisten dat ik anders was. Hun ouders waren al net zo erg.

Ik zag ze heus wel staan, in groepjes bij de hekken, benieuwd door wie kleine Billy vandaag weer naar school gebracht zou worden. Ik had ze wel hun hoofd zien schudden, wanneer ze binnen één week wel vijf verschillende klootzakken geteld hadden. Natuurlijk voelden ze zich nooit schuldig genoeg om mij eens thuis uit te nodigen, om met een van hun kinderen te spelen. Van hun borden te eten, in hun tuin rond te rennen. Het was geen sympathie, die ze voor me voelden, het was enkel medelijden. En het was makkelijker voor hen en voor hun kinderen om net te doen alsof ik er niet was, dan om een poging te doen mij beter te leren kennen.

Tegen de tijd dat ik acht of negen was, werd het alleen nog maar erger. De kloof tussen mij en de rest werd elke dag groter en dat wist ik. En uiteraard vond ik dat niet leuk.

Maar zij wel. Zij vonden het geweldig.

Het was rond die tijd dat kleine Billy, het dommerdje van de klas, veranderde in Billy Finn, tehuiskind. De oudere kinderen in het tehuis hadden me gehard, hadden me getraind om het op te nemen tegen iedereen die met me wilde sollen. En mij maakte het niet uit waar ik ze te grazen nam. Schoolplein, voetbalveld, klaslokaal, waar dan ook. Zolang iedereen maar kreeg wat hij verdiende, was ik gelukkig.

De leraren zagen dat helaas anders. Die stonden erop dat ik altijd begeleid zou worden door een van de klootzakken. Kun je je voorstellen hoe vernederend dat was?

Alsof er een bordje op mijn tafeltje stond met daarop KINDERTEHUISKIND.

Ronnie genoot er natuurlijk van. Deed reuze zijn best om alle kinderen bij hun naam te kennen, en wanneer ze hem vroegen of hij mijn vader was, grinnikte hij alleen zachtjes en zei: 'Nee, niet zijn vader. Zijn oom. Oom Ron.'

En dus dachten de andere kinderen dat ik de grootste familie had, die ze ooit gezien hadden. Bijna elke dag leerden ze wel weer een andere tante of oom van me kennen.

Maar vandaag wandel ik tenminste alleen het klaslokaal binnen, zonder Ron op mijn hielen die zich voordoet als iemand die hij niet is, die hij nooit zou kunnen zijn. Zijn eigen kinderen heeft hij tenslotte nooit midden in de klas in de houdgreep hoeven nemen, of wel soms?

Maar ook in mijn eentje binnenkomen blijkt niet zonder effect. Zodra ik over de drempel stap, wordt het stil in de klas. Niemand, zo lijkt het, is voorbereid op het feit dat ik terugkom.

'Alles goed, Billy?' probeert een stem achterin het, duidelijk doodsbang.

Alle anderen laten hun hoofd hangen of doen alsof ze heel erg druk met iets bezig zijn.

Ik kijk de klas rond, op zoek naar een goed plekje om te gaan zitten. Ik wil duidelijk maken dat, hoewel ik een paar maanden afwezig geweest ben, je nog altijd beter uit mijn buurt kan blijven. Tenzij ik je anders vertel.

En dus loop ik naar achteren en stop bij het tafeltje van Danny Shearer.

Danny is zo'n irritant kind, dat goed lijkt te zijn in alles wat hij doet. Je kent ze wel. Sport, acteren, leerlingenraad. Overal duikt hij op en, om wat voor reden dan ook, de andere kinderen lijken

hem nog steeds te mogen. Te respecteren zelfs. De perfecte keus
dus, om mijn punt mee duidelijk te maken.

'Je zit op mijn plek.'

Negenentwintig paar ogen zijn nu op Danny gericht, die duidelijk te bang is om ook maar op te kijken.

Ik geef hem een paar seconden, maar zijn blik blijft star op het
tafeltje gericht.

'Ik zei: je zit op mijn plek.' En ik geef hem een tik tegen de zijkant van zijn hoofd. Niet met volle kracht, maar toch hard genoeg, dat de klap in de hele klas te horen is en iedereen verschrikt
zijn adem inhoudt.

Ik zie de woede opvlammen in zijn ogen en mijn eigen ademhaling versnelt bij het vooruitzicht van een knokpartij.

'Waarom deed je dat?' Plotseling is zijn gezicht nog maar enkele
millimeters van het mijne verwijderd.

'Heel eenvoudig, Danny. Je luisterde niet, of wel soms? En voor
zover ik me kan herinneren, ben je niet dom. Dus wanneer ik jou
was, zou ik nu maar snel m'n spullen bij elkaar pakken en ergens
anders gaan zitten.'

Ik zie hem nadenken, terwijl hij me aankijkt. Het is niet, dat hij
geen keus heeft. Het is een grote jongen, hij weet dus dat hij,
mocht hij dat willen, het tegen me op kan nemen. En hij weet
dat, wanneer hij dat zou doen, er zeker tien andere jongens zouden zijn die hem bij zouden staan als dat nodig mocht zijn.

Maar aan de andere kant weet hij ook wie ik ben en dat, zelfs
wanneer hij en zijn vriendjes het van mij zouden winnen, er
altijd nog een later is.

Hij heeft slechts een seconde nodig om zijn tas te pakken en naar
de andere kant van het lokaal te stuiven. De jongen naast hem
kiest ook eieren voor zijn geld en volgt hem, waardoor ik de luxe
van twee tafeltjes voor mij alleen heb.

Eerlijk gezegd houd ik er niet echt een goed gevoel aan over,
maar een opluchting is het wel. Ik weet dat, wanneer ik de volgende paar maanden goed door wil komen en de Kolonel en de
rest wil laten zien dat de tweeling het beste af zou zijn bij mij, ik

school moet zien vol te houden. En de enige manier waarop dat mogelijk is, is wanneer de andere kinderen me met rust laten. Vandaar deze actie. Wanneer ze denken dat ik gestoord genoeg ben om binnen één minuut al heibel te schoppen, dan blijven ze vast wel uit mijn buurt.

Maar school of niet, wanneer wat ik Ronnie had horen zeggen echt waar was, dan zouden mijn plannen natuurlijk toch wel gevaar lopen. Ik moest een manier zien te vinden om erachter te komen of Annie echt van plan was om de tweeling weer thuis op te nemen. En wanneer dat zo was, dan moest ik haar daarvan zien te weerhouden.

Ik open mijn boek en krabbel 'Annie' bovenaan de bladzijde. Ik kan net zo goed meteen maar beginnen met het opstellen van een plan.

Helaas kom ik niet ver.

Behalve dan de tweeling ontvoeren en hier en daar wat banken overvallen kan ik helemaal niets bedenken. Wat behoorlijk teleurstellend is.

Na een paar dagen blijkt dat het aanpakken van Danny Shearer duidelijk het gewenste effect gehad heeft. De rest van de kinderen laat me met rust. Wanneer we 's ochtends richting de klas lopen, zie ik ze nerveus bij elkaar staan, bijna bang om te gaan zitten, voor het geval ik ze zou zeggen dat ze daar weg moesten. Perfect. Betekent dat ik het niet nog een keer hoef te doen. Voorlopig niet, tenminste.

En het verbazingwekkende is, dat ook de leraren geen interesse lijken te tonen.

Zelfs het gebruikelijke 'welkom-terug-praatje' met de directeur blijft uit, dat ik eerder wel altijd gehad had. Nou ja, wanneer ik heel eerlijk ben was dat ook eigenlijk altijd al de eerste van vele laatste waarschuwingen geweest, voordat ik uiteindelijk weer van school geschopt werd.

'Vertel eens, Billy, wat ga je dit keer anders doen?'

'Pardon, meneer?'

'Kom op. Wat is er veranderd in dat briljante brein van jou, w. door ik kan geloven dat ik je dit keer niet meer dagelijks bij me hoef te roepen?'

'Geen idee, meneer. Waarschijnlijk niets, meneer.'

'Vertel me eens, Billy. Wat hoop je nu eigenlijk precies te bereiken met school?'

'Hetzelfde als iedereen, denk ik. Leren en zo. Een goede baan krijgen later.'

'En wat voor baan zou dat dan zijn?'

'Geen idee.' Ik haalde mijn schouders op. 'Als het maar genoeg schuift om de huur van te betalen en voor de tweeling te kopen wat ze nodig hebben.'

En telkens wanneer ik dit zei, schudde hij zijn hoofd en begon hij aan de gebruikelijke preek.

'Maar dan zal je toch echt beter je best moeten doen, Billy. Die baan, waarvan jij denkt dat hij op je wacht, zodra je hier naar buiten loopt? Nou, ik zal heel eerlijk tegen je zijn. Die bestaat niet. Niet zonder dat je hier en nu je best doet, tenminste!'

'Ja, meneer. Dat weet ik, meneer.'

'Nee, ik denk niet dat je dat weet. Jij bent namelijk niet het eerste kind in jouw situatie dat we hier gehad hebben, weet je. Ik heb al zoveel kinderen als jij les gegeven.'

'Ik geloof niet dat ik weet wat u bedoelt, meneer.' Hoewel ik dat heel goed deed. Ik wilde alleen dat hij zich lullig zou voelen wanneer hij het nog een keer uit moest leggen.

'Je weet wel. Jonge mensen, die geen... die niet bij hun... die aan de zorg van een tehuis overgedragen zijn.'

*Kon hij het nog meer als een statistiek laten klinken?*

'Ik heb gewerkt met kinderen, die hetzelfde meegemaakt hebben als jij. In hetzelfde soort tehuizen woonden. Maar het verschil tussen hen en jou is dat zij school als een mogelijkheid zagen. Als hun kans om ervoor te zorgen dat ze niet dezelfde fouten als hun ouders zouden maken. Snap je dat?'

'Ja, meneer.'

'Mooi. Ik wil dat je weet, Billy, dat iedereen hier echt niets anders

slaagt. Dat je hier weg komt met alles wat je nodig
baan te vinden, dat huis, die mooie dingen voor je
zusje. Wij zijn er voor je, Billy, mijn deur staat altijd
daar gebruik van. Dat deden die andere kinderen ook
allemaal goed terecht gekomen.'
En daarna liet hij me altijd gaan, met als laatste waarschuwing, dat
hij me voor het eind van het jaar niet nog een keer hoopte te
zien.

Grappig, terwijl hij toch even daarvoor nog gezegd had dat zijn
deur altijd open stond…

En al die onzin over andere tehuiskinderen, die zo goed terecht
gekomen waren? Nou, dat was anders niet wat ik gehoord had.

De andere tehuiskinderen die ik kende, hadden nu inderdaad
allemaal een carrière, al waren die nu niet bepaald om over op te
opscheppen. Voor zover ik weet is het vegen van straten of werken in de gevangeniskeuken namelijk niet het soort geweldige
baan, waarover de directeur het had.

Ik weet niet of ik opgelucht of juist teleurgesteld moest zijn, dat
hij me dit keer genegeerd heeft, maar het verbaast me wel dat het
grootste deel van de overige schoolklootzakken hetzelfde blijkt te
doen. Behalve mijn oude klassenleraar, Mr. Barnes (die Duits gaf
en erop stond dat we elke week een gesprekje hadden), lopen ze
allemaal met een wijde boog om me heen.

Die ouwe Turner van Frans doet zelfs niet eens de moeite om
mijn schrift in te nemen aan het eind van het lesuur. Gelijk heeft
hij natuurlijk, aangezien ik er toch niets in geschreven had, maar
toch, het is immers zijn baan? Even denk ik erover om het er met
de directeur over te hebben, maar alleen al bij de gedachte moet
ik glimlachen.

En zo begint, terwijl de eerste week langzaam overgaat in de
tweede, die op zijn beurt uiteindelijk weer overgaat in de derde,
de schoolroutine langzaam weer vat op me te krijgen. Ik ben aanwezig, houd me rustig, maar heb niet het gevoel dat ik of de
tweeling hier nou zoveel baat bij zouden hebben.

Dat verandert echter allemaal op de derde dinsdagochtend.

Zoals altijd zit ik weer onderuitgezakt, negerend dat Barnes de namen opnoemt, om te kijken of er iemand afwezig is, wanneer de deur opengaat en de directeur binnenkomt met wat lijkt op een nieuwe leerling.

Eerlijk gezegd besteed ik er niet te veel aandacht aan. Tot nu toe is het me gelukt om zo min mogelijk op te vallen en ik heb geen enkele behoefte om de komende dagen als een soort babysitter voor een nieuw kind te moeten fungeren. Niet, dat ze mij daarvoor zouden vragen. Dat zou hetzelfde zijn als een alcoholist een café laten runnen.

'Goedemorgen, allemaal,' zegt hij opgewekt. 'Sorry, dat ik stoor, Mr. Barnes, maar ik wilde jullie allemaal even voorstellen aan een nieuwe klasgenoot. Dit is Daisy Houghton. Daisy woont sinds kort in deze buurt en ik verwacht dan ook dat jullie ervoor gaan zorgen dat ze zich welkom zal voelen op onze school.'

Vervolgens draait hij zich om om weer te vertrekken. Niet dat ik de moeite doe om op te kijken.

Dat doe ik pas als Barnes begint te praten.

'Welkom in deze gezellige klas, Miss Houghton. Zoals je kunt zien, zitten we nogal vol, maar ik stel voor dat je voorlopig naast Billy Finn daar gaat zitten. De voorlaatste rij.'

Hier en daar klinkt gegiechel, maar niet van mij. Het laatste waaraan ik behoefte heb, is wel een nieuw grietje aan wie ik alles zou moeten uitleggen, en dus werp ik een woedende blik in de richting van de giechelaars, voordat ik mijn tas van het tafeltje naast me pak.

'Billy?' buldert Barnes, duidelijk genietend van mijn ongemak, 'Ik verwacht dat je je als een heer gedraagt tegenover onze nieuwe klasgenote. Niet bijten, oké?'

De minder bang uitgevallen kinderen in de klas schateren het uit en met tegenzin kijk ik op naar mijn nieuwe buurvrouw. Ik wil haar met een blik duidelijk maken dat ze vooral geen moeite moet doen om vriendjes te worden, dat deze situatie slechts van korte duur zou zijn.

Maar helaas bereikt mijn blik haar niet. Terwijl ik mijn ogen namelijk naar haar opsla, zie ik iets wat ik niet verwacht had.

Het is hetzelfde meisje. Het meisje van het veldje. Het meisje van het gevecht.

En in die fractie van een seconde weet ik dat al mijn plannen voor school in duigen liggen.

Dat vanaf dat moment alle kansen op de nieuwe, onopvallende Billy Finn verkeken zijn.

# 10

Mocht ze al verbaasd geweest zijn om mij hier te zien, dan laat ze dat in elk geval niet merken. Sterker nog, ze kijkt me amper aan, terwijl ze naast me plaatsneemt.

Ik herken meteen weer de gezichtsuitdrukking die ze tijdens onze ontmoeting bij het veldje ook had. Diezelfde kille blik, diezelfde manier van kijken zonder echt iets te zien. Geen idee wat ze denkt maar, net zoals de laatste keer, is het irritant en onmogelijk te negeren.

Twee weken lang heb ik zonder enig probleem gezwegen, en nu plotseling voel ik de belachelijke behoefte om iets tegen haar te zeggen. Waarover of waarom, dat weet ik niet.

Ik wil haar beter bekijken, zien of de blauwe plek op haar wang inmiddels verdwenen is, maar geen haar op mijn hoofd die eraan denkt om haar de voldoening te geven als eerste te beginnen.

En dus doe ik wat ik normaal gesproken nooit gedaan zou hebben, ik open mijn boek. De woorden zeggen me niets, maar eerlijk gezegd is dat voor haar komst nooit anders geweest. Ik heb nog zo'n drieëneenhalve minuut totdat de bel gaat. Dat moet toch te doen zijn, gezien de eindeloze periodes die ik tot nu toe half slapend doorgebracht heb, maar met elke seconde die voorbijgaat, voel ik me minder op mijn gemak. Ik kan alleen maar hopen dat ze het niet merkt. Gezien de stilte die uit haar richting komt, lijkt het haar in elk geval niet te storen.

Als de bel eindelijk gaat, spring ik opgelucht op, waarbij ik in mijn haast om naar de deur te komen mijn stoel omgooi. Ik geloof niet dat Barnes er veel van snapt. Normaal gesproken heb ik namelijk niet zo'n haast. Sterker nog, meestal moet hij me de klas uit jagen, onder bedreiging dat hij me anders persoonlijk naar mijn volgende les begeleidt.

Ik heb geen idee waar ik het volgende uur les heb, of om welk vak het gaat. Het enige waarmee ik bezig ben, is snappen waarom de komst van Daisy Houghton mij zo van mijn stuk brengt.

En dus breng ik het daaropvolgende lesuur door op de plek die ik, sinds mijn terugkomst op school, zo'n beetje tot de mijne gemaakt had, de materiaalruimte achter de gymzaal. Die staat vol met troep: verroeste oude hordes, zakken vol lekke voetballen en, het belangrijkste, valmatten. Het soort dat gebruikt wordt voor het hoogspringen en polsstokhoogspringen tijdens de zomer. Groot en zacht, een soort geweldig grote zitzak. Goed, echt lekker ruiken ze niet, maar dat doen de meeste kinderen in mijn klas ook niet, en daar klaagt ook niemand over, of wel soms?

Jan en Grant hadden ook zo'n zitzak. Je kent ze wel. Zo groot als een zitbank, die zich helemaal om je heen vormt, zodra je je erop laat vallen. Het meest comfortabele ding waarop ik ooit gezeten had. Soms voelde ik me er gewoon schuldig om. Ik kon niet geloven dat ik zo geboft had dat ik bij een familie terecht gekomen was met zo'n ding. Verdiend had ik het zeker niet.

Liggend op zo'n mat kon ik me eindelijk een beetje ontspannen. Het herinnerde me aan Jan en Grant. Ik kon er nadenken over dingen. Zoals over dit meisje, waarvan ik helemaal onrustig werd. Ik voelde me gewoon niet op mijn gemak bij haar. Was ik eindelijk weer een beetje gewend aan die hele schoolsituatie, wist ik precies wat ik wanneer moest doen en hoe, kwam zij opeens opdagen, waardoor ik me van het ene op het andere moment weer helemaal onzeker voelde. Alsof ze me compleet doorzag, terwijl ze me nog maar amper aangekeken had.

Maar zo gemakkelijk liet ik me niet door iemand uit het veld slaan. En al zeker niet door zo'n ondankbare tante als zij. Wat maakte het uit dat ze hier nu op school zat? Ik was tenslotte degene die haar een week eerder geholpen had. Zonder mij zou de politie haar daar van die weg af hebben moeten schrapen. Inmiddels zou ze zich dat nu toch wel gerealiseerd hebben, dacht ik, terwijl ik overeind kwam van de mat.

En wanneer het ijs eenmaal gebroken was, zou ze dat ook vast wel toegeven en alsnog haar dankbaarheid tonen. Het zou allemaal goed komen. Zolang ze maar geen dankbaarheid van mijn kant verwachtte.

Op zich had het helemaal geen probleem moeten zijn om haar te ontwijken, maar vanwege het feit dat ik Danny Shearer zo nodig moest terroriseren, had zij nu geen andere keus dan naast mij te komen zitten.

De stilte waarmee we die eerste keer begonnen zijn, zet zich door in de dagen die volgen. We ontwikkelen zelfs een soort routine, waarbij zij naast mij op haar stoel onderuitgezakt zit, terwijl ik de viezigheid op mijn schoenen inspecteer, wachtend op het eind van het lesuur. Zodra de bel gaat, weet ik niet hoe snel ik er vandoor moet gaan, meestal naar mijn verstopplek achter de gymzaal, terwijl zij nog even in het niets blijft staren.

Zo gaat dat een goede week door en, hoe ik mijzelf ook van het tegendeel probeer te overtuigen, op een gegeven moment kan ik er niet meer tegen. Ik wil niets liever dan met haar praten, het hebben over wat er die avond gebeurd is. Vragen of alles goed is met haar en, belangrijker nog, erachter proberen te komen of ze inderdaad, net als ik, een tehuiskind is.

Het blijkt dat ik niet veel langer meer hoef te wachten, aangezien Daisy uiteindelijk zelf de stilte verbreekt.

Ik zit in een hoekje van het schoolplein, piekerend over Annie en de tweeling, wanneer een stem mijn gedachten verstoort.

'Heb je misschien een vuurtje voor me?'

Ik kijk op en ben even verblind door het zonlicht. Hierdoor heb ik niet meteen in de gaten wie de vraag gesteld heeft en duurt het even voordat ik kan geloven dat het daadwerkelijk Daisy is.

Iets te enthousiast begin ik mijn zakken af te kloppen, hoewel ik allang weet dat ik geen aansteker bij me heb. Ik rook niet.

'Eh, ik zou er één moeten hebben. Maar waar...'

'Je hebt er één of niet. Kom op.'

'Hij zal nog wel thuis liggen,' mompel ik en voordat ik er erg in heb, heb ik er ook nog 'sorry' aan toegevoegd.

'Geeft niet. Ze zijn toch amper de moeite van het roken waard. Ik rol ze tegenwoordig steeds dunner, zodat ik langer met een pakje shag kan doen, maar daardoor proef ik ze nu bijna niet meer. Tijdsverspilling dus eigenlijk.'

Ik knik instemmend, terwijl ik probeer me een houding te geven.

'Hoe gaat het eigenlijk met je?' probeer ik dan. 'Heb je al met de directeur gesproken?'

'Waarom denk je dat die met me zou willen praten?' vraagt ze, terwijl ze in haar tas rommelt.

'Geen idee. Ik probeer gewoon een praatje te maken.'

Even is het stil, hoor je alleen het geritsel van papier, terwijl ze zachtjes vloekend in haar tas zoekt.

'Hebbes!' roept ze, en voor het eerst zie ik zowaar iets van een glimlach op haar gezicht, terwijl ze een gehavende aansteker naar de peuk tussen haar lippen brengt.

Ze inhaleert diep, voordat ze de rook naar buiten blaast en tegelijkertijd weer begint te praten.

'Vijf keer,' zegt ze, terwijl ze me weer aankijkt.

'Wat?'

'De directeur. Hij heeft me al vijf keer bij zich geroepen. Ik geloof dat hij me oprecht wil redden. En blijkbaar weet hij ook al hoe hij dat gaat doen.'

Ze zwaait de tas over haar schouder en begint in de richting van het hek te lopen.

Ik glimlach triomfantelijk, als ik terugdenk aan mijn eigen gesprek met de directeur.

*Ik wist het wel. Ik wist het wel.*

'Hé,' roept ze, opnieuw mijn gedachten verstorend. 'Kom je nog, of hoe zit dat?'

Ik vecht tegen de verleiding om om me heen te kijken. Dit is niet het moment om haar beeld van mij als sulletje te bevestigen.

'Zelf weten, Billy Finn. Dan blijf je maar hier om je te laten redden door meneer de directeur. Wanneer je dat zo graag wilt. Maar je kunt ook met mij meekomen.'

'Waar ga je dan heen?'

'Geen idee. Maar veel erger dan hier kan het niet zijn, of wel?'

Dat antwoord was goed genoeg voor mij en glimlachend volg ik haar het hek door.

# 11

Het was heerlijk om niet op school te zijn. Echt veel geleerd had ik er tenslotte toch niet tijdens de afgelopen drie weken. Tenzij je leren dansen naar de pijpen van de Kolonel daaronder verstond. Daisy leek ook te genieten van de vrijheid.

'En waar heb jij al die tijd uitgehangen?' vraagt ze.

'Hoe bedoel je?'

'Nou ja, bij de meeste lessen kwam je helemaal niet opdagen. Je lijkt elke dag na het eerste uur te verdwijnen.'

Ik heb geen idee hoe ik hierop moet reageren. Nooit had ik gedacht dat haar zoiets op zou vallen en dus reageer ik op de enige manier die ik ken. Agressief.

'Wie denk je wel niet dat je bent, mijn moeder? Ik wist niet dat de directeur je blijkbaar betaalde om mij in de gaten te houden.'

'Wind je niet op,' zegt ze glimlachend. 'Ik probeer gewoon een praatje te maken.'

'Tja, misschien had je dat beter vorige week kunnen proberen, vlak nadat die kerels je te grazen genomen hadden.'

Ze kijkt verrast, een beetje geamuseerd zelfs.

'Ben je daar nu nog steeds niet overheen? Ik dacht dat we dat hoofdstuk die avond al afgesloten hadden.'

'Tja, ik vind het nu eenmaal niet echt prettig wanneer mensen me met een mes bedreigen.' Ik steek mijn handen in mijn zakken.

'Vreemd genoeg is dat niet mijn idee van een leuk avondje.'

'Dan was het maar goed dat ik er ook was, nietwaar?', zegt ze lachend, waarna ze eraan toevoegt: 'Je hoeft me trouwens niet te bedanken hoor.'

Over moeilijk gesproken. Het is gewoon onmogelijk om een punt te maken bij haar, en dus laat ik het er maar bij.

'Duurde het lang voordat je wang weer helemaal hersteld was?'

'Neuh.'

'Wat zeiden je vrienden wel niet, toen ze het zagen?'

'Welke vrienden?' mompelt ze, terwijl ze haar ogen neerslaat.

'De vrienden bij wie je logeert. Die in de buurt van dat veldje wonen?'

'O... die. Die zeiden er niets van.' Maar aan de manier waarop ze haar haar nerveus naar achteren strijkt, kan ik zien dat ze liegt.

'Het was anders een behoorlijke blauwe plek.'

'Niets, wat een beetje ijs niet kon verhelpen.'

Ik denk terug aan hoe ze er die avond uitgezien had. Dat was geen klein plekje geweest. Wanneer het er op dat moment al zo uitgezien had, moest het de dag erna wel een enorm blauw oog geweest zijn.

'En jij? Wat zeiden je ouders over jouw neus?'

'Ach, je weet wel...' Ik haal mijn schouders op, terwijl ik instinctief langs mijn neus wrijf, bijna in de verwachting dat ik opnieuw bloed zou zien. 'Laten we het zo zeggen, het was niet de eerste keer.'

'Echt niet?' vraagt ze, terwijl een glimlach haar gezicht oplicht.

'Dat verbaast me. Ik had begrepen dat je zo'n brave jongen was. Ik kan me niet voorstellen dat jij vaker in dat soort situaties terechtkomt.'

Ik laat haar opmerking een minuut of twee in de lucht hangen, niet wetende hoe ik moet reageren. Ik vraag me af met wie ze gesproken heeft en wat diegene precies gezegd heeft.

Hoewel ze nu eindelijk spreekt, verraadt ze nog altijd niets. Niets waardoor mijn mening over haar verandert tenminste. Nog altijd heb ik sterk de indruk dat ze ook een tehuiskind is. Ik weet alleen nog steeds niet waarom ik dat denk.

Het ligt niet aan de manier waarop ze eruit ziet. Ik bedoel, ze ziet er behoorlijk normaal uit. Een beetje mager misschien, maar dat zijn zoveel meisjes in onze klas.

Eigenlijk ziet ze er zelfs best leuk uit. Maar misschien komt dat ook omdat het haar duidelijk niets kan schelen. Ze draagt altijd een spijkerbroek en T-shirts die wat aan de grote kant zijn. De mouwen zijn altijd te lang, waardoor ze de gewoonte heeft om ze over haar handen heen te trekken. En met die mouwen constant tussen haar vingers en de palm van haar handen, lijkt ze nog kleiner dan ze eigenlijk is. Maar hoewel ze dan misschien maar iets van één meter zestig is, het is onmogelijk om haar over het hoofd zien.

Ik doe mijn best om niet te staren, maar dat is niet gemakkelijk. Pas wanneer ze me aankijkt besef ik eindelijk hoe het komt dat ik zo zeker ben over haar.

Het zijn haar ogen. De manier, waarop ze naar dingen kijkt. Soms lijkt ze tijdenlang in het niets te staren, maar op andere momenten, zoals nu, schieten haar ogen onrustig van links naar rechts en op en neer, alsof ze constant naar iets op zoek is. Iets belangrijks. Ikzelf doe dat ook altijd, vooral wanneer ik bang ben dat ik de boel niet meer onder controle heb. Wanneer ik het gevoel heb dat ik niet alles meer overzie, bang ben dat ik iets mis. Iets, wat ik misschien nodig heb, waar ik niet zonder kan.

Wat dat iets is, kan ik je niet zeggen, er zijn tenslotte zo veel dingen die ik mis. Zo veel dingen waar ik bang voor ben. Zoals het kwijtraken van de tweeling, of later net zo worden als Annie of Shaun.

Maar op dat moment weet ik, *weet ik zeker,* dat zij hetzelfde voelt. En dus zeg ik het gewoon.

'Eigenlijk had ik die avond willen doorlopen, weet je.'

Het duurt even voordat ze reageert en dus ga ik verder.

'Die avond met die jongens. Ik wilde doorlopen. Net doen alsof ik niets gezien had, maar ik kon het niet. Omdat, toen ik jou zag, ik het vreemde gevoel had dat ik je kende. Snap je wat ik bedoel?'

Ze kijkt nog altijd niet begrijpend, maar in elk geval luistert ze nu.

'Het is namelijk niets voor mij, snap je. Om te stoppen zoals ik deed. Zo ben ik normaal helemaal niet. Ik ben nou niet bepaald een barmhartige Samaritaan.'

'Luister,' valt ze me in de rede. 'Zoals ik eerder al zei, ik doe niet aan bedankjes. Dus kunnen we er nu eindelijk eens over ophouden?'

'Daar gaat het ook niet om. Ik probeer het alleen maar uit te leggen. Waarom ik zo handelde. En waarom je me sindsdien, elke keer dat ik je zie, zo bang maakt.'

'Wat bedoel je met 'bang maakt'? Wat heb ik gedaan...'

'Luister nu gewoon eens, oké? Ik probeer je iets te vertellen. De reden dat ik die avond wel stopte is omdat ik dacht dat ik je kende. Nu weet ik dat dat niet zo is. Maar ik weet ook – dat denk ik tenminste – dat wij hetzelfde zijn, jij en ik. Ik weet het eigenlijk wel zeker. We hebben dezelfde dingen meegemaakt, nietwaar, weliswaar in verschillende tehuizen, maar toch dezelfde dingen?'

Terwijl de woorden mijn mond uitrollen, heb ik het gevoel dat ze door iemand anders gesproken worden. Ze klinken bijna wanhopig, kwaad. Het is de waarheid, de woorden die ik al sinds die eerste avond had willen zeggen, maar eenmaal buiten mijn mond klinken ze opeens belachelijk. In mijn oren dan...

Maar het enige wat Daisy zegt, is: 'Zullen we een patatje delen?'

De patat smaakt heerlijk. Daisy is nogal kwistig geweest met het zout en de azijn, maar het geeft ons tenminste iets te doen tijdens de ongemakkelijke stiltes in het gesprek en zorgt ervoor dat ik mijn verlegenheid even kan vergeten.

'Sorry over wat ik daarnet allemaal zei,' mompel ik, terwijl ik een nieuw frietje in mijn mond steek. 'Geen idee waar dat opeens vandaan kwam. Maar ik heb gewoon soms van die belachelijke ideeën, waarvan ik niet weet wat ik ermee aan moet.'

Ze heeft nog altijd niet gereageerd op mijn uitbarsting. Heeft nog helemaal niets gezegd. Waardoor ik zo langzamerhand begin te denken dat ik het misschien toch allemaal bij het verkeerde eind gehad heb. Maar terwijl ze haar laatste frietje over het zoutige papier haalt, begint ze eindelijk te praten.

'Niets om je voor te verontschuldigen, hoor. Ik weet dat het niet altijd makkelijk voor je is.'

'Hoe bedoel je?' Nu snap ik er niets meer van.

'Ik hoor wel eens dingen. Van de kinderen op school. Nou ja, ik heb ze wel eens staan afluisteren.'

Dit bevalt me maar niets. 'O, oké. Wat voor dingen dan?'

'Dat jij in een kindertehuis zit. Al heel lang en dat je ook nog een broertje en zusje hebt.'

'O, dat.'

'Luister, ik heb geen zin om het allemaal te veel op te blazen. Eigenlijk wil ik er liever zelfs helemaal niet over praten. Maar ik begrijp het. Echt waar. Ik weet hoe het is. Om niet bij je ouders te wonen en zo.'

Mijn hoofd tolt, ik heb dus toch al die tijd gelijk gehad. Maar haar stem klinkt zo verdrietig, dat ik me meteen alweer schuldig voel dat ik het onderwerp aangekaart heb.

'Het was ook helemaal niet mijn bedoeling om je erover te laten praten. Laten we het gewoon vergeten. Ouders zijn het toch niet waard om over te praten. Ik wou dat die van mij dood waren.'

Daisy snuift, terwijl ze de lege frietzak in de prullenbak gooit.

'Dat is juist het probleem, Billy. Die van mij zijn al dood.'

Ze rommelt even in haar broekzak, haalt er een handjevol kleingeld uit, telt het en zucht.

'Heb jij nog wat geld?' vraagt ze. 'Ik heb zin om me te bezatten.'

# 12

De wekelijkse vrijdagavond-freakshow is nou niet echt iets om naar uit te kijken. Niet wat mij betreft, tenminste. Mee uit genomen worden en je vervolgens door normale mensen te laten aanstaren, is niet bepaald mijn idee van een leuke avond, maar het is helaas een ritueel, waaraan we elke week weer onderworpen worden. De klootzakken zijn er namelijk van overtuigd dat een gezamenlijk 'uitje' goed voor ons is. Dat het ons het gevoel zou geven, onderdeel van een familie te zijn. Heb je ooit zulke onzin gehoord?

Hoeveel families ken jij met tien kinderen en vier verzorgers? Of hoeveel families gaan met een minibus naar de bioscoop?

Het gestaar begint altijd al zodra we ergens arriveren. We zijn natuurlijk nooit de best geklede groep, of de rustigste, en je ziet ouders dan ook vaak snel hun kinderen meetrekken, zodra ze ons in het vizier krijgen. Ik zweer je dat ik ooit zag hoe kinderen het zwembad uitgehaald werden, zodra wij onze tenen nog maar in het water gedipt hadden. Zo besmettelijk waren we blijkbaar.

Soms, wanneer ik die hele beschamende vertoning echt niet zie zitten, ga ik er op vrijdagmiddag al vandoor, zodat ze me huisarrest geven. Zeker, het is een beetje saai, zo alleen in het tehuis, maar het is tenminste rustig.

Het enige probleem in dat geval is de tweeling. Wanneer ik niet mee mag, raken zij overstuur en wanneer zij dan als gevolg daarvan ook niet mee kunnen, krijg ik door de Kolonel een schuldcomplex aangepraat, omdat ik het zogenaamd verpest heb voor ze. Daarom ga ik meestal toch maar mee, in de hoop dat ik niemand tegen kom die ik ken.

Waar we heen gaan, hangt af van wie er die avond dienst heeft. De wat slimmere klootzakken kiezen meestal voor de bioscoop, om twee voor de hand liggende redenen. Ten eerste is het een afgesloten ruimte, waardoor het voor ons moeilijker is om ervandoor te gaan, en ten tweede betekent het dat zij bijna twee uur van hun dienst kunnen doorbrengen zonder met een van ons te hoeven praten.

Maar de wat meer onervaren lui... Tjonge, wat nemen die soms domme beslissingen. Zoals met ons gaan lasergamen. Ik bedoel, ik ben echt niet de slimste, maar zelfs ik begrijp dat het geven van een geweer aan tien moeilijk opvoedbare kinderen vragen om problemen is. Niet voor ons, maar voor al die andere verwende kindjes die vervolgens de hele avond door ons geterroriseerd worden.

De ergste avond was kort nadat Daisy en ik met elkaar bevriend geraakt waren. We waren echt niet altijd samen, maar op sommige dagen slenterden we na school nog wat door de stad, op zoek naar een plek waar we drank konden kopen.

Die vrijdagavond stelde ze voor om samen iets te gaan doen en keek geschokt, toen ik zei dat ik helaas verwacht werd voor de wekelijkse freakshow van het tehuis.

'Dat klinkt afschuwelijk. Kun je er niet onderuit? Er speelt een band in de stad en volgens mij kunnen we daar gemakkelijk naar binnen komen.'

Even had ik er over nagedacht, maar de gedachte aan de teleurgestelde gezichtjes van de tweeling was onverdraaglijk. Ik was bang dat ze misschien zou vragen of ze dan met ons mee mocht, maar nadat ze haar schouders opgehaald en 'laat dan maar' gemompeld had, liet ze het er gelukkig verder bij.

Die avond gingen we bowlen. Op weg ernaartoe waren de tehuiskinderen redelijk rustig. Niet gek ook, aangezien Ronnie de leiding had.

Het enige probleem was, dat hij een aantal stagiairs bij zich had. Dit kwam wel vaker voor, maar deze twee jokers hadden we nog niet eerder gezien.

Het waren echte prototypes. Constant glimlachend, overdreven vriendelijk en absoluut nutteloos.

Zodra ik ze het busje in zag klauteren, wist ik al dat de avond gedoemd was te mislukken.

De hele rit probeerden ze zichzelf populair te maken door flauwe grapjes aan de jongere kinderen te vertellen, die mee giechelden, omdat ze niet beter wisten.

Maar eenmaal aangekomen bij de bowlingbaan, groeide het ze al snel boven het hoofd.

Meestal gaat het als volgt:

Ronnie parkeert de bus.

Ronnie draait zich naar ons om, om ons nog een keer in te prenten dat we ons fatsoenlijk moeten gedragen.

Ronnie laat de tehuiskinderen bij wijze van spreken een contract met hun eigen bloed ondertekenen, om te beloven dat we ons fatsoenlijk zullen gedragen.

Ronnie laat Billy nog een keer extra beloven dat hij zich fatsoenlijk zal gedragen.

Pas dan, en niet eerder, gaan de deuren open en lopen de tehuiskinderen als een soort zombies naar binnen.

Helaas opent dit keer, zodra de bus geparkeerd staat, een van de stagiairs meteen de deuren, waardoor we allemaal al naar binnen sprinten, voordat Ronnie ons murw gekregen heeft.

En vanaf dat moment gaat het alleen nog maar bergafwaarts.

In plaats van op tien kinderen te moeten letten, heeft Ronnie nu opeens tien kinderen plus twee klootzakken die hij in de gaten moet houden, en voor zover ik het kan zien, vormen wij nog het minst grote probleem.

Ze hebben twintig minuten nodig om ons allemaal door de hal heen te loodsen en nog eens vijftien minuten om ons in de juiste bowlingschoenen te krijgen.

Ronnie gedraagt zich als een soort herder, waarbij hij de tijdelijke klootzakken als zijn honden probeert in te zetten, maar hij had er waarschijnlijk meer aan gehad wanneer hij ons gewoon allemaal bij onze oren gepakt had.

Uiteindelijk staan we verdeeld over twee banen, dit tot groot ongenoegen van de groep oudere tieners naast ons, die het bowlen duidelijk veel te serieus neemt.

Je kent die types wel. Eerst een halve minuut bezig met het drogen van hun handen, voordat ze überhaupt een bal op durven te pakken. Vervolgens die belachelijke pose, waarbij ze de bal tot aan hun neus optillen, alsof ze hem toefluisteren hoeveel kegels ze om willen gooien.

Uiteraard heb ik de grootste lol, wanneer ze uiteindelijk slechts een paar zielige kegels omver weten te krijgen, wat resulteert in afkeurende blikken, elke keer wanneer ik grinnik.

Maar je had de euforie moeten zien, wanneer ze wel een keer een strike weten te gooien. Dan lijkt het wel alsof ze de wereldbeker gewonnen hebben of zo, in plaats van dat ze eindelijk een succesvolle bal over de baan gerold hebben. Allemaal hebben ze een eigen overwinningsdansje, sommigen zelfs een soort moonwalk, en het duurt dan ook niet lang voordat wij ze nadoen, of we nu kegels omgegooid hebben of niet.

Eerst proberen ze ons nog te negeren, en Ronnie doet zijn uiterste best om ons te kalmeren, maar hij kan ons gewoon niet aan in zijn eentje.

Pas echt mis gaat het echter, als Charlie Windass het waagt om een van hun ballen op te pakken. Ik weet niet of hij doorheeft dat de bal van hen is, maar dat had hem waarschijnlijk toch niets kunnen schelen. Wat hij wel doorheeft, is dat hij ze blijkbaar pissig gemaakt heeft en dat vindt hij geweldig.

Met de bal voor zijn neus danst hij naar de rand van de baan, zich niet realiserend dat een van die kerels achter hem aankomt.

Terwijl hij de bal naar achteren zwaait, raakt hij de jongen vol in de maag, het lijkt wel een scène uit een slapstickfilm. Op dat moment komt de rest van de jongens op hem afgestormd, roepend dat hij de bal neer moet leggen.

Uiteraard doet Charlie precies het tegenovergestelde, hij rent de halve baan over, totdat hij nog maar enkele meters van de kegels verwijderd is. Maar in plaats van de bal ernaartoe te rollen, gooit hij hem, alsof hij cricket aan het spelen is. Het geluid van de bal, die tussen de kegels terechtkomt, is oorverdovend en of je het gelooft of niet, op dat moment stopt iedereen in de bowlinghal met waar hij mee bezig is.

Intens tevreden met zichzelf loopt Charlie met zijn armen in de lucht terug over de baan, recht op de eigenaar van de bal af, die hem een harde duw geeft.

En op dat moment lijkt er iets te knappen in Charlies hoofd. Ik had hem in het tehuis al vaker over de rooie zien gaan, had het van dichtbij meegemaakt, en wist dus ook dat het altijd heel veel moeite kostte om hem dan weer rustig te krijgen.

Hij werpt zichzelf op de jongen, die bijna één meter tachtig lang is en zeker twee keer zo zwaar. Van pure verrassing valt de jongen achterover op zijn rug, waarna Charlie zich met zwaaiende armen bovenop hem laat vallen.

Ik heb Ronnie nog nooit zo snel zien bewegen, maar ik geloof niet dat hij echt wist waar hij heen moest, naar Charlie of richting de rest van de jongens, om ze op afstand te houden.

Uiteindelijk kiest hij voor Charlie, trekt hem mee, weg van de woedende jongens.

Sussend heft hij zijn handen en probeert uit te leggen wat er aan de hand is.

'Jongens, jongens. Het spijt me. Luister even, oké? Laat het me uitleggen. Hij had niet door...'

Maar ondertussen heeft hij Charlie losgelaten, die meteen van de gelegenheid gebruik maakt om rond te gaan dansen en ondertussen schop- en boksbewegingen richting de jongens te maken. Eindelijk besluiten de stagiairs om nu ook maar eens in te grijpen. Ze werpen zich op Charlie en sleuren hem daar weg.

De rest van onze groep weet niet wat ze ervan moet denken. De jongere kinderen hebben nog nooit zoiets opwindends gezien en moedigen Charlie zelfs nog aan. Het enige wat ik doe, is een beschermende arm om de tweeling heenslaan, zodat ze uit de buurt van al het geweld blijven.

Terwijl de klootzakken bovenop Charlie zitten, begint Ronnie aan een uitgebreid charmeoffensief, waarbij hij als een soort smeris zijn legitimatie uit zijn zak trekt.

Ik haat het wanneer hij dat doet. Het is een van die dingen, die een ander tehuiskind waarschijnlijk niet eens opvalt, maar ik heb het al zo vaak gezien. Zodra het een beetje spannend wordt, zodra hij zich in een moeilijke situatie bevindt, trekt hij die kaart tevoorschijn.

Alsof hij wil aantonen dat hij een soort heilige is, enkel omdat hij voor een stelletje moeilijke kinderen als wij zorgt. Ik zie hoe de jongens hem aankijken, terwijl hij zijn zielige verhaaltje over ons vertelt. Binnen een minuut is hun lichaamstaal veranderd, heeft de boosheid plaats gemaakt voor medelijden.

Charlie is ondertussen nog verre van gekalmeerd. De stagiairs hebben duidelijk nog nooit een dergelijke woedeaanval meegemaakt en ook met de menigte, die zich inmiddels om hen heen verzameld heeft, weten ze zich geen raad. Allemaal ramptoeristen, die zichtbaar genieten.

'Waar staan jullie naar te kijken?' schreeuwt Charlie, zijn armen als in een dwangbuis voor zijn borst gekruist. 'Kunnen jullie het zien?' Zijn gezicht vertrekt, terwijl hij zich probeert aan de greep van de stagiair te ontworstelen. Met elke poging zie je hoe hij zijn beheersing verder verliest.

En dan gebeurt het. Iets, wat ik nog nooit eerder gezien heb, en wat ik ook nooit meer hoop te zien. Wanhopig om vrij te komen, zet Charlie zijn tanden in de hand van een van de stagiairs, waarbij hij gromt als een hond. De stagiair deinst geschrokken achteruit en trekt zijn hand los, maar houdt Charlie met zijn andere hand nog altijd vast.

'Waag het niet, mij te bijten!' snauwt hij. 'Ik probeer je alleen maar te helpen. Je zou jezelf ook niet bijten, of wel soms, dus mij bijt je ook niet.'

Charlie is ondertussen zo over de rooie, dat het me verbaast dat hij nog hoort wat er tegen hem gezegd wordt. Maar nog verbaasder ben ik als hij vervolgens daadwerkelijk in zijn eigen arm bijt.

Waarom, weet ik niet. Misschien omdat iedereen zo staat te kijken, misschien omdat hij de twee stagiairs die hem vasthouden, niet goed kent. Of hij is bang, maar nadat hij zichzelf eenmaal gebeten heeft, is hij duidelijk niet meer van plan om los te laten.

Plotseling is de lol eraf voor het publiek. Kinderen worden snel weggeleid, terwijl anderen zich geschokt omdraaien. Weer anderen laten zich door Ronnie wegjagen.

Het enige wat ik zie is Charlies gezicht, verwrongen van woede, terwijl zijn kaak zich om zijn eigen arm klemt.

Er is niets vreselijker, dan in de houdgreep genomen te worden. Het is nog erger dan door een smeris in de boeien te worden geslagen. Dan kun je namelijk tenminste je armen nog een beetje bewegen en zijn je benen nog vrij. Maar wanneer je door twee kleerkasten op de grond gepind wordt, kun je helemaal niks meer bewegen, hoezeer je het ook probeert.

Er zijn keren geweest, dat ik net deed alsof ik kalmeerde, zodat ik kon uithalen zodra ze me loslieten, maar nooit kwam ik in de verleiding om *mezelf* pijn te doen, zoals Charlie nu doet.

Ik trek de tweeling nog wat steviger tegen me aan, probeer hun zicht te blokkeren, en kijk toe hoe Ronnie een poging doe om de boel onder controle te krijgen. Aanvankelijk lijkt zijn aanwezigheid de situatie er echter alleen maar erger op te maken.

Hij knielt naast Charlie, streelt hem over zijn hoofd en fluistert rustig in zijn oor. Maar wat hij zegt heeft duidelijk niet het gewenste effect – hoewel blijkbaar wel voor een van de stagiairs, bij wie de tranen nu over de wangen lopen. Het komt niet vaak voor dat je een klootzak ziet huilen. Nou ja, er worden natuurlijk wel eens wat krokodillentranen vergoten, wanneer een van de tehuiskinderen vertrekt, maar niet zoals hier. Deze vent weet duidelijk niet meer wat hij ermee aan moet. Hij durft niet eens zijn tranen weg te vegen, uit angst dat Charlie dan naar hem uit zou halen.

Op dat moment zet Ronnie een tandje bij, hij ruilt van plek met de jankende klootzak en trekt vervolgens Charlie overeind. Hierdoor is Charlie gedwongen om zijn arm los te laten en het enige wat ik kan zien zijn de diepe tandafdrukken in zijn arm en de kapotte, bloederige huid.

Rood aangelopen en diep in verlegenheid gebracht marcheert Ronnie richting de uitgang, verder fluisterend tegen een nog altijd woedende Charlie.

Ik kijk om me heen naar de rest van de tehuiskinderen en zie overal shock en tranen. We willen alleen nog maar allemaal terug naar het busje, terug naar de beschutting van het tehuis. Maar er is geen sprake van dat onze vriend de stagiair ons naar de bus zou brengen. Waardoor ik geen keus heb.

'Oké,' blaf ik. 'Pak al je spullen bij elkaar. En snel, anders zwaait er wat!'

En binnen enkele minuten zit iedereen weer in de bus, stil en ontdaan, in de hoop dat Ronnie en Charlie ons snel zullen volgen.

# 13

Het is niet zo dat de dagen op school plotseling sneller voorbij gaan, nu Daisy er is, maar ze zijn wel wat beter te verdragen. Misschien omdat het gewoon geruststellend is om te weten dat er nog iemand is, die het allemaal maar nutteloos vindt. Of misschien omdat ik nu niet meer het enige tehuiskind ben. Ik weet het niet. Kan ook niet zeggen dat ik er echt veel over nadenk.

Bovendien ben ik, ondanks Daisy's soms wat bizarre kledingkeuze, toch nog altijd de nummer één loser van onze klas. Zij heeft namelijk de irritante eigenschap om totaal niet op te vallen. Ze loopt niet door de gangen, ze lijkt er als een soort spook doorheen te zweven. Wanneer ze ergens binnenkomt, lijkt het of de deur niet eens eerst opengegaan is. Ze is anoniem en dat bevalt haar prima.

Het betekent echter niet dat ze er met haar hoofd niet bij is. Niets ontgaat haar. Ze is een echte observator en tjonge, wat kan ze soms gemeen zijn over mensen.

Ik begin uit te kijken naar de pauzes. In het verleden had ik altijd wat rondgeslopen op het plein, op zoek naar iemand om ruzie mee te maken. Maar nu, met Daisy, zit ik gewoon bij de rest. Vaak lachen we ons dood om hoe oppervlakkig iedereen is.

Voor de meisjes draait het allemaal alleen maar om jongens, kleren en, voor de wat wildere types, om de clubs waar ze dat weekend heen willen. En bij de jongens gaat het om voetbal of om waar ze goed in zijn. Verder niets. Zoals ze zelf al zeggen: 'Wat zou er nog meer moeten zijn?'

Ik vind het maar vreemd allemaal. De manier waarop ze spreken, de families waarover ze het hebben. Het is moeilijk voor te stellen dat zij ooit zouden moeten nadenken over manieren om hun jongere broertjes en zusjes uit handen van hun alcoholistische moeder te houden. Maar jaloers ben ik niet en benijden doe ik ze ook niet. Ik weet gewoon niet beter.

Soms kijk ik naar hoe Daisy op dit alles reageert. Meestal staart ze gewoon, haar mond tot een scheve glimlach vertrokken, wanneer een van die domme grieten het bijvoorbeeld heeft over een nieuwe jurk die ze dat weekend van haar mammie zou krijgen. Haar blik is dan zo intensief, dat het lijkt alsof ze elke seconde in zich op probeert te nemen, alsof ze alles als een eindeloze serie foto's in haar geheugen probeert op te slaan.

'Wat vind je toch zo interessant aan al die mensen?'

Ze haalt haar schouders op, hoewel ze het antwoord heel goed weet.

'Het is gewoon net zoiets als naar een film kijken.'

'Daar hou je wel van, hè? Films en zo?'

'Absoluut,' antwoordt ze, terwijl haar ogen even oplichten. 'Wanneer het zou kunnen, zou ik elke dag naar de bioscoop gaan. Maakt me niet uit wat er draait, ik kijk wel.'

'Ik heb dat eigenlijk nooit zo goed gesnapt. Komedies vind ik meestal niets aan, omdat ik in negen van de tien gevallen geen idee heb wat er nu weer zo grappig is. En omdat het me alleen maar weer eens doet beseffen, hoe weinig er in het tehuis gelachen wordt. En wat die actiefilms betreft, nou ja, die slaan echt helemaal nergens op. Die kun je toch niet realistisch noemen, of wel? Net alsof het echt *zo'n* geluid maakt, wanneer je iemand in het gezicht slaat.'

'Gebruik toch gewoon je fantasie, Bill. Soms is het gewoon prettig om jezelf even een paar uurtjes ergens in te verliezen.'

'Je maakt een grapje zeker?' glimlach ik. 'Tegen de tijd dat zo'n film eindelijk afgelopen is, zou allang iemand mijn kamer helemaal leeggeroofd kunnen hebben.'

Ze duwt me met een grijns weg en zegt dat ze me nog wel een keertje mee zal nemen, wanneer ik dat wil, maar voordat ik kan antwoorden gaat de bel alweer en sloffen we naar ons volgende lesuur.

We hadden niet alle lessen samen, aangezien zij een stuk slimmer was dan ik. Het was echt niet zo dat ze heel erg slijmde bij de leraren of vreselijk hard haar best deed. Ze leek gewoon precies te weten wat ze moest doen om ervoor te zorgen dat mensen haar met rust lieten.

En de leraren vonden het prima. Die waren echt niet van plan om het enige rustige meisje tussen die dertig luidruchtige kinderen eruit te pikken. Zoals ik al zei, ze probeerde zo weinig mogelijk op te vallen en niet zonder succes.

Totdat ze te laat kwam voor een van Carricks lessen. Carrick leidde zijn klas zoals Ronnie het tehuis leidde. Jarenlang dacht ik zelfs dat ze familie van elkaar moesten zijn, of in elk geval in hetzelfde reageerbuisje opgekweekt waren. Allebei waren ze een pietjeprecies en lieten ze de kinderen het liefst zoveel mogelijk lijden. Carrick was de enige leraar met een eigen lokaal. Alle andere klootzakken werden de hele school doorgestuurd om de verschillende klassen te onderwijzen, maar hij niet. Zijn lokaal bevond zich direct naast het kantoortje van de directeur en was ook het enige lokaal dat tussen de lessen in afgesloten werd.

Wanneer je aardrijkskundeles had van hem, dan moest je buiten de klas in een rij gaan staan wachten totdat de deur geopend werd, waarna hij zei: 'Goedemiddag allemaal. Neem plaats, alsjeblieft. Ik neem aan dat ik jullie er niet aan hoef te helpen herinneren dat jullie tafels genummerd en, zoals altijd, brandschoon zijn. Ga zitten waar je altijd zit en laat de klas straks alsjeblieft weer op dezelfde manier achter als waarop je hem aangetroffen hebt.'

Zijn lokaal was altijd keurig opgeruimd. Ziekelijk bijna. Niks in de prullenbak, geen posters aan de muur en al helemaal geen kauwgum onder de tafels geplakt. Carrick had hier ooit een leerling op betrapt, waarna hij hem uren had laten nablijven, net zolang, totdat hij alle kauwgum onder elk tafeltje in de hele school weg gekrabd had.

Aan het begin van elk schooljaar wees hij je een tafel toe, waarbij hij de klas keurig op alfabetische volgorde gezet had. Dit betekende dat ik geluk had, aangezien ik zo naast Daisy terechtkwam, en we samen redelijk achterin de klas zaten. Tafels en bijbehorende stoelen hadden dezelfde nummers.

Carrick leek meteen al een hekel aan Daisy te hebben, waarschijnlijk omdat ze pas halverwege het jaar arriveerde, waardoor hij zijn hele opstelling had moeten omgooien. Maar iemand, wiens achternaam met een 'H' begon, naast Pete Tanner zetten, zou voor hem onmogelijk geweest zijn. Dat had hij niet aan gekund.

Of Daisy zijn afkeer voelde, weet ik niet. Ze deed gewoon braaf met alles mee, zoals altijd, tot die ene dag, waarop ze een kwartier te laat was.

Ik had me al af zitten vragen waar ze bleef. Ze was er die ochtend tijdens het eerste uur nog wel geweest, maar daarna hadden we elk andere lessen gehad. Toen ze niet op kwam dagen ging ik er maar vanuit dat ze naar de tandarts of zo was, en bezorgd vroeg ik me af hoe ik nu aan mijn antwoorden moest komen.

Maar toen ze eindelijk arriveerde, zag ze er eerder uit alsof ze net van de operatietafel gekomen was, dan uit een tandartsstoel. Haar gezicht was helemaal wit weggetrokken en ze liep onzeker, met kleine voetstapjes, alsof ze zich op elke beweging die ze maakte heel goed moest concentreren.

Zonder in de richting van Carrick te kijken, schuifelde ze richting haar tafel en hij wachtte totdat ze daar aangekomen was, voordat hij zich liet horen.

'Goedemiddag, Miss Houghton. Fijn, dat je toch nog besloten hebt om ons gezelschap te komen houden. Zou je alsjeblieft weer even naar voren willen komen?'

Ik zie hoe ze in elkaar krimpt bij zijn woorden. Erger dan dit bestaat er in haar ogen niet. Dertig paar ogen op haar gericht, allemaal dankbaar dat zij daar niet staan.

Langzaam loopt ze terug naar voren en blijft daar voor hem staan, haar rug naar ons toe.

'Draai je om, alsjeblieft.'

'Sorry?' fluistert ze. Ik kan haar maar amper verstaan.

'Ik zei, draai je om, zodat je de klas aankijkt, alsjeblieft.'

Met gebogen hoofd draait ze zich om, waardoor haar gezicht achter haar haren verscholen gaat.

Carrick leunt achterover in zijn stoel, zijn handen achter zijn hoofd gevouwen.

'Misschien dat je de rest van de klas even kunt uitleggen waarom je zo laat bent. Tenslotte waren negenentwintig van hen, dertig, wanneer ik mezelf meetel, hier wel op tijd.'

Zijn woorden hangen in de lucht, terwijl Daisy naar de grond blijft kijken.

'Nou?' vraagt hij. 'Je hebt vast een goede reden. Het kan toch niet zo zijn dat je nu, na – wat? – zes weken hier, plotseling vergeten was waar je naartoe moest. En aangezien ook de rest van de klas hier na afloop van de les moet blijven zitten, om de tijd die je gemist hebt goed te maken, denk ik dat een kleine uitleg aan hen hier wel op zijn plaats is.'

Een collectieve kreun is het gevolg en ik voel mezelf rood aanlopen. Zoals ze daar staat, in het middelpunt van de belangstelling, alle blikken op haar gericht. Ik heb geen idee hoe ze zal reageren.

Maar ze doet helemaal niets. Ze blijft daar enkel onbeweeglijk staan. Seconden gaan over in minuten en ik voel hoe de temperatuur in de klas stijgt van de spanning. De messen worden geslepen en allemaal zijn ze op Daisy gericht.

Carrick, duidelijk vastbesloten om haar zo veel mogelijk te vernederen, springt nu overeind en begint achter haar heen en weer te lopen, ondertussen over haar schouders heen sprekend.

'Dat zijn al drie minuten, Miss Houghton. Opgeteld bij de oorspronkelijke vijftien minuten, natuurlijk. Ben je inmiddels bereid om ons een kleine toelichting te geven?'

Wanneer er nog steeds geen woord over haar lippen komt, zie ik hem langzaam geïrriteerd raken en een tandje bij schakelen.

'Goed, je wilt ons dus blijkbaar niet vertellen waarom je zo laat was, maar misschien dat je ons dan wel kunt uitleggen waarom voor jou andere regels zouden moeten gelden dan voor ons?' Hij kijkt haar strak aan en heel even zie ik zijn blik over haar kle-

ding heen glijden. 'Ben jij soms anders dan de rest van de klas?'
Niemand doet nog moeite om zijn lachen in te houden, ondanks
de nijdige blikken die ik hun toewerp. Nu Carrick zo goed op
dreef is, willen ze allemaal niets liever dan meedoen en hij geniet
er zichtbaar van.

Mijn bloed dreigt inmiddels over te koken, maar dan vang ik een
blik op van Daisy, kort weliswaar en half gemaskeerd door het
haar voor haar gezicht, maar het is duidelijk dat ze wil dat ik rustig blijf. Dat mijn wurgen van de leraar haar niet zou helpen. En
dus houd ik me in, hoe moeilijk dat ook is.

Nog een goede vijf minuten gaan voorbij, voordat Carrick het
eindelijk opgeeft en haar terugstuurt naar haar stoel, met de
mededeling dat iedereen na de bel nog twintig minuten moet
blijven zitten.

'Laat dit een waarschuwing zijn aan jullie allemaal. Te laat komen
wordt door mij niet getolereerd. Wanneer je in deze klas komt,
dan is dat om te werken. Iets anders verwacht ik niet. Zodra werken in deze klas niet meer mogelijk is, is de les voorbij en kunnen jullie allemaal vertrekken!'

En met deze woorden laat hij zich terugvallen in zijn stoel en gaat
hij door met de les.


Zodra dat toegestaan is, haast de rest van de klas zich naar buiten,
waarbij het merendeel van de kinderen nog even een vuile blik
of nare opmerking Daisy's richting opstuurt.

Woest spring ik op, waarbij mijn stoel achter me op de grond
klettert, en enkel omdat die ouwe Carrick me meteen beetpakt,
vallen er geen slachtoffers.

'Wat je ook van plan was te doen, Mr. Finn, ik stel voor dat je het
buiten deze klas en bij voorkeur buiten de schoolhekken doet.
Vechten wordt door mij niet geaccepteerd.'

Met een beetje hulp van Daisy verlaten we vervolgens op vreed-
zame wijze de school, waar we de andere kinderen nog net weg
zien sprinten. Maar ik heb geen haast. Voordat ik naar huis ga, is
er nog iets wat ik moet doen.

'Gaat het een beetje?' vraag ik Daisy, aangezien ze nog altijd even bleek ziet.

Ze knikt langzaam. 'Ik voel me alleen niet zo lekker.'

'Echt belachelijk, hoe hij je daar te grazen nam, vind je niet? Hij is zo'n controlfreak.'

Langzaam lopen we in de richting van het hek en wanneer we langs de parkeerplaats van de leraren lopen, voel ik de woede in mij opkomen.

'Luister. Let jij even op, oké? Ik ben zo terug.'

Half gehurkt duik ik tussen de eerste rij auto's. Ik weet precies welke auto van welke leraar is. Waarom? Voor momenten als dit, denk ik, wanneer een kleine revanche wel op zijn plaats is. Het duurt niet lang voordat ik Carricks auto gevonden heb. Het is uiteraard de meest glimmende van de hele school, maar zeker niet de nieuwste, en nauwkeurig bekijk ik waar ik het best toe kan slaan. Onmiddellijk valt mijn oog op de antenne, die makkelijk te verbuigen blijkt. Ik zorg ervoor dat ik hem niet helemaal afbreek, maar buig net zolang totdat hij er wat zielig bij hangt. Ik vraag me af of ik nog genoeg tijd had om een paar banden te laten leeglopen, maar aangezien de leraren meestal net zo graag naar huis willen als de kinderen, besluit ik enkel nog een lange kras over het rechterportier te maken. Grijnzend loop ik terug naar Daisy, terwijl ik de gele lak uit de ribbels van mijn sleutel peuter.

Mijn heroïsche daad lijkt haar echter niet opgebeurd te hebben, en eerlijk gezegd vind ik zelf ook niet dat het een faire revanche is. Hij heeft haar tenslotte ten overstaan van een volle klas vernederd, terwijl niemand, behalve hijzelf, nu de schade aan zijn auto ziet. Nee, ik zou echt met iets beters moeten komen, en snel ook, aangezien over een paar dagen de vakantie al begint.

Uiteindelijk blijkt die vakantie precies te zijn wat ik nodig heb, hoewel ik wel behoorlijk mijn best moet doen om alles op tijd in orde te krijgen. Maar wanneer Daisy en ik die vrijdagmiddag de school verlaten, heb ik een glimlach van oor tot oor. En dat heeft niets te maken met het feit, dat ik voorlopig niet meer naar school hoef.

Wanneer we de eerste maandag na de vakantie om half tien in de rij voor Carricks lokaal staan te wachten, heerst er al enige onrust in de gang. Iedereen vraagt zich hetzelfde af: 'Wat is dat voor stank?'

En dat geldt zeker ook voor Carrick, die op dat moment in onze richting gelopen komt, maar het weerhoudt hem er niet van om ons zijn gebruikelijke preek te geven.

'Goedemorgen, allemaal. Ik hoop dat jullie allemaal een fijne vakantie gehad hebben en er weer helemaal klaar voor zijn. Jullie weten waar je plek is, dus ga snel zitten, zodat we aan het werk kunnen.'

En met die woorden steekt hij de sleutel in het slot, stopt dan, snuift eens en draait zich weer naar ons om.

'Wat stinkt hier toch zo? Wanneer het uit een van jullie tassen afkomstig is, dan verzoek ik diegene, het vooral niet de klas mee in te nemen. Begrepen?'

En terwijl hij zich weer op de deurklink concentreert, kan ik het niet laten om tegen Daisy te fluisteren, 'Let op, nu gaat het gebeuren. Doe gewoon hetzelfde als ik, oké?'

'Wat?' fluistert ze terug, maar dan lopen we al naar binnen, terwijl Carrick telt of iedereen er wel is.

Maar plotseling is de stank overweldigend en de rij stokt.

Ik zie de paniek op Carricks gezicht, terwijl hij de gezichten afspeurt, zich afvragend wie hier verantwoordelijk voor is.

'Kom op, kom op,' roept hij. 'Doorlopen. Het kan toch niet zo zijn dat jullie alweer vergeten zijn waar jullie zitten?'

Maar als nog altijd niemand zich beweegt, verliest hij zijn geduld en wringt zich langs de rij heen naar binnen. En op dat moment wordt het pas echt interessant, want in plaats van de keurige rijen genummerde tafeltjes en stoelen, is er nu alleen nog maar een grote stapel van hout en metaal in het midden van het lokaal te zien. Elke tafel, elke stoel, op twee na, is naar het midden van de klas gesleept en daar slordig bovenop elkaar gestapeld. Ik moet toegeven dat het er indrukwekkender uitziet dan ik me herinner. Er zit geen enkele logica in, geen symmetrie, het is compleet onduidelijk wat waar hoort. Het is slechts één grote wirwar van poten en nummers.

De rest van de klas verzamelt zich om de berg, monden open van verbazing. Wanneer de stank in het lokaal niet zo vreselijk geweest was, zou er zeker ook meer gelachen zijn. Met opgetrokken neuzen kijken de kinderen om zich heen, zich afvragend wat die geur is en waar hij vandaan komt.

Ik wou dat ik Carricks gezicht had kunnen vastleggen, terwijl hij zijn geliefde klaslokaal in zich opneemt. Eerst kijkt hij enkel geschokt naar de troep, maar dan dringt de stank pas goed tot zijn neus door. Zijn ogen flitsen van links naar rechts, en ik kan bijna zien hoe de stress bezit van hem neemt, terwijl zijn geordende kleine wereldje langzaam om hem heen instort.

Met een brede glimlach staat Daisy naar de puinhoop te kijken.

'Geniaal, Billy, geniaal,' fluistert ze in mijn oor.

'Net snapte ik niet wat je bedoelde, maar dit had ik zeker niet verwacht.'

'Zo ben ik, altijd vol verrassingen,' lach ik. 'Wat had jij dan gedacht? Dat ik op de deurklink gespuugd had, of zo?'

'Zoiets, ja.'

'Nou ja, dat heb ik ook gedaan, natuurlijk.' Ik moest moeite doen om mijn lachen in te houden. 'Maar ik vond dat we hem nog wat meer schuldig waren. Kom mee.'

Terwijl ik voorzichtig om onze klasgenoten heenloop, die nog altijd zowel staan te giechelen als te kokhalzen, leid ik haar naar de twee tafels en stoelen die nog altijd op hun plek staan. Tafels en stoelen, die toevallig van ons zijn.

Nadat we rustig plaatsgenomen hebben, ritsen we onze tassen open en pakken er onze boeken en pennen uit, om die vervolgens netjes voor ons uit te stallen.

'Je wilt me toch niet vertellen dat je ook voor die stank gezorgd hebt, of wel?' mompelt ze.

'Yup,' antwoord ik. 'Zie je dat ventilatierooster daar achter zijn bureau? Daarachter ligt een half dozijn makreel te rotten sinds'

– ik werp even een theatrale blik op mijn horloge – 'o, sinds de laatste vrijdag voor de vakantie.'

Ik denk even dat ze van haar stoel zal vallen. 'Je maakt een grapje zeker? Hoe ben je hier ooit binnen gekomen? Carrick bewaakt zijn lokaal altijd alsof het Fort Knox is.'

'Ik heb de sleutels bij de receptie weggekaapt die vrijdag. Ging er naar binnen met een zielig verhaal over dat ik extra lunchvouchers nodig had, en toen ze even niet keek, bingo.'

'Geweldig,' giechelt ze. 'En duurde het lang, voordat je al die stoelen en tafels daar opgestapeld had?'

'Niet echt. Ik heb gewoon gewacht totdat iedereen weg was en ook het schoonmaakpersoneel klaar was. Daarna kon ik zoveel lawaai maken als ik wou.'

Als een stel engeltjes zitten we naar de chaos om ons heen te kijken. Carrick weet niet wat hij ermee aan moet. Eerst denkt hij nog dat hij het zelf wel kan regelen, en begint hij hier en daar aan wat poten te trekken. Maar wanneer dat een soort lawine lijkt te veroorzaken, bedenkt hij zich en schreeuwt hij naar de rest van de klas dat ze zich in de hoeken van het lokaal terug moeten trekken.

Ik heb medelijden met de jongen, die vlak bij het ventilatierooster achter Carricks bureau terechtkomt, maar zijn reactie is onbetaalbaar.

'Tering, meneer,' jammert hij. 'Het lijkt wel alsof er iets gestorven is in uw la!'

Carrick sprint naar zijn bureau. Daar aangekomen lijkt het er even op dat hij over zijn nek zal gaan, en hij kijkt behoorlijk opgelucht wanneer zijn lades leeg blijken te zijn, nadat hij ze geopend heeft. Inmiddels is zijn gezicht rood en bezweet, en weet hij duidelijk niet meer wat hij moet doen, totdat hij ons ziet zitten, keurig rechtop achter onze tafeltjes, onze boeken geopend voor ons.

'Houghton, Finn,' buldert hij. 'Mee naar buiten! Ik wil een hartig woordje met jullie spreken!'

Langzaam kom ik overeind en begin ik mijn spullen weer in te pakken.

'Het spijt me, meneer, maar aangezien werken in deze klas niet meer mogelijk is, neem ik aan dat we naar huis mogen. Zodat u kunt gaan opruimen. Ik neem tenminste aan dat uw volgende klas hier anders ook niet zal willen werken.'

Ik zwaai mijn tas over mijn schouder en blijf even naast mijn tafeltje staan, om Daisy voor te laten gaan. Langzaam lopen we richting de deur, intens tevreden, vooral als we merken dat de rest van de klas ons voorbeeld volgt. Met veel kabaal marcheren we door de gang, langs het kantoortje van de directeur en door de deuren naar buiten, het schoolplein op.

Ik kan de verleiding niet weerstaan om nog even een blik door het raam te werpen, wanneer we langs het lokaal van Carrick lopen. Ik weet niet wie het harder geraakt heeft, hem of de directeur, die het hem duidelijk behoorlijk kwalijk neemt dat hij een complete klas heeft laten weglopen.

Het voelt altijd goed om zo'n klootzak te grazen te nemen, of dat nu in het tehuis of op school is. En terwijl we richting de hekken lopen, weten we al dat over deze stunt nog maanden gesproken gaat worden.

# 14

Het gegiechel aan de andere kant van de slaapkamerdeur verraadt het al.

Niet dat ik nog slaap. Verjaardag of niet, zoals altijd heb ik de zon weer zien opkomen. Maar om de tweeling een plezier te doen, dwing ik mezelf om mijn ogen dicht te houden, terwijl ze voorzichtig richting het bed sluipen.

Ik hoor gerinkel, terwijl iets op het nachtkastje neergezet wordt, en het volgende moment laten ze zich bovenop me vallen.

'Van harte gefeliciteerd, Bill!' roept Lizzie, terwijl ze op mijn rug klimt. Louie lijkt meer geïnteresseerd in het cadeautje, kijkt ernaar alsof hij het het liefst zelf open wil maken.

Ik glimlach en trek ze tegen me aan. Verjaardagen van tehuis-kinderen zijn meestal niet zo heel bijzonder en zeker geen dagen om naar uit te kijken. Niet, wanneer je er al zoveel in het bijzijn van Ronnie heb meegemaakt als ik. Een kaart van de tweeling is geweldig natuurlijk, maar er ontbreekt toch ook altijd een kaart. De kaart waar je zo naar verlangt. De kaart die nooit komt.

'Kijk, Bill, kijk!' gilt Louie, terwijl hij een handjevol enveloppen onder mijn neus duwt. 'Moet je kijken hoeveel je er gekregen hebt! Deze moet je eerst openmaken, dat is die van ons.'

Ik bekijk de enveloppen, waarbij ik instinctief weet van wie ze afkomstig zijn, zonder ze nog maar geopend te hebben. Louie en Lizzie, de andere tehuiskinderen (niet dat die er uit zichzelf aan gedacht hadden), de klootzakken, Ronnie (al snap ik nooit waar-om hij überhaupt de moeite doet), Dawn (onze maatschappelijk werkster van die maand) en, tenslotte, een keurig beschreven enveloppe die ik snel onder mijn kussen verstop, voor later.

'Dankjewel, die is mooi,' zeg ik, terwijl ik mezelf dwing om te glimlachen bij de woorden 'liefste broer van de wereld' op de voorkant. Het breekt mijn hart, te weten dat dit misschien wel de laatste keer is dat ze erbij zijn op mijn verjaardag.

'En nu je cadeautje openmaken, Bill. Kom op, maak open!' roept Louie, helemaal hyper van opwinding.

'Hoezo, wat is het?' lach ik, hoewel ik heel goed weet wat er in het kleine zilverkleurige pakje zit. Hetzelfde namelijk als ieder ander jaar. Louie kiest altijd hetzelfde uit.

Terwijl ik het papier eraf haal, grijns ik zoals ik weet dat hij het graag ziet.

'Voetbalstickers!' roep ik uit, en kijk toe hoe zijn gezicht oplicht. 'Geweldig, jongens. Bedankt!'

Dit is Louie's teken om het cadeau weer uit mijn handen te trek-ken. Hij scheurt de verpakking open en laat de stickers door zijn handen gaan, behendig als een pokerspeler.

'Ooo! Je hebt Gerrard. En Crouch – dat is echt een hele zeldzame!'

'Echt waar? Maar die twee heb ik al. Dus misschien wil je ze met me ruilen?' lieg ik. Zijn stralende glimlach is alles wat ik nodig heb.

'SUPER! Dank je, Bill!' roept hij, terwijl hij zich van het bed af laat glijden en naar zijn kamer rent, ondertussen de eerste sticker al lostrekkend.

Lizzie staart me enkel aan.

'Sorry, van de stickers, Bill,' zegt ze fronsend. 'Ik wilde je dit jaar eens wat anders geven, maar Louie begon bijna te huilen in de winkel.'

'Geeft helemaal niks hoor,' grijns ik, terwijl ik haar weer naar me toe trek. 'Ik vind ze echt heel mooi, dat weet je toch.'

Over haar schouder kijk ik naar het hoofdeinde van het bed, compleet volgeplakt met foto's van voetballers. Mijn trofeeën voor het vieren van te veel verjaardagen als professioneel levenslang gevangene.

Echte cadeaus zijn toch nooit een goed idee. Niet voor tehuiskinderen tenminste. Zeker niet met Kerstmis.

Ik moet toegeven dat de klootzakken er altijd weer een mooie show van proberen te maken, er altijd weer voor proberen te zorgen dat alle kinderen een vergelijkbare hoeveelheid cadeautjes krijgen. En wanneer iedereen alles uitgepakt heeft, waan je je praktisch in een speelgoedcatalogus. Dan kun je je bijna niet meer bewegen door alle treinen en poppen en fietsen. Maar lang duurt het nooit. Dat mooie gevoel. Het ho-ho-ho. Vooral niet, wanneer je de verzorgers op hun horloges ziet kijken, de minuten aftellend tot het einde van hun dienst, zodat ze naar huis kunnen, waar ze echte cadeaus kunnen uitdelen, bij hun echte kinderen kunnen zijn.

Ronnie sprintte altijd praktisch naar de deur, wanneer zijn dienst erop zat. Kon nooit wachten om naar huis te gaan en zijn *echte* kinderen met cadeaus te overladen.

Tehuiskinderen voelen zoiets. Natuurlijk doen we dat. Wij zitten hier tenslotte met net zoveel tegenzin als zij. Dus tegen de tijd dat de nieuwe ploeg arriveert om vijf uur op eerste kerstdag, treft die een aanrecht vol vuile vaat, een vloer vol kapot speelgoed en het vooruitzicht van behoorlijk wat te schrijven strafrapporten aan.

Zalig f★★★ing kerstfeest.

Dus doe mij maar een pakketje voetbalstickers en een knuffel van de tweeling.

'Oké,' kreun ik, terwijl ik opsta van mijn bed. Lizzie probeert me tegen te houden.

'Waar ga je heen, Bill?' Ze kijkt ongerust, haar ogen zo groot als schoteltjes.

'Ontbijten, schat. Wanneer ik niet snel ben, dan heeft de Kolonel de kasten alweer afgesloten tot aan de lunch.'

'Maar dat is niet nodig. Het is immers zaterdag en we hebben je ontbijt op bed gebracht.'

Nu zie ik het pas, op het nachtkastje. Het meest uitgebreide ontbijt ooit. Cornflakes, gekookt eitje, sinaasappelsap en de grootste, vetste baconsandwich die ik ooit gezien heb.

'Kijk nou dan!' roep ik, terwijl het beeld van een zoveelste gevecht om een fatsoenlijk ontbijt langzaam naar de achtergrond verdwijnt. 'Dat is echt het beste cadeau, dat jullie me ooit gegeven hebben.'

Ik knuffel haar nog eens stevig en zou haar het liefst ook voor altijd in mijn armen gehouden hebben, wanneer ik geweten had dat de bacon zo lang warm zou blijven.

'Hij dacht al dat je dat wel leuk zou vinden.' Lizzie straalt. 'Hij durfde er zelfs geld om te wedden.'

'Wie?' mompel ik met mijn mond vol brood. 'Louie?'

'Nee, niet Louie,' lacht ze. 'Ronnie. Het was zijn idee.'


Hoewel ik de woorden wel honderd keer in mijn hoofd gerepeteerd heb, weet ik niet hoe ik ze ooit mijn strot uit moet krijgen.

Hoe moest ik hem ooit fatsoenlijk bedanken voor mijn ontbijt?

Ik bedoel maar.

Wat is zijn probleem?

Hij had de tweeling toch gewoon kunnen laten geloven dat het hun idee geweest was?

Waarom moest hij nu weer met de eer strijken?

Het is tenslotte alleen maar een baconsandwich. Als hij denkt dat hij daarmee al die jaren van leugens goed kan maken, dan heeft hij het toch echt mis.

Waarschijnlijk heeft hij het ook alleen maar gedaan om een ruzie aan de ontbijttafel te vermijden. Het laatste, waaraan hij natuurlijk behoefte heeft voordat hij naar huis gaat, is wel om mij op de tafel vast te moeten pinnen. Het zou zeker niet voor het eerst zijn dat iemand op een verjaardag bestraft moest worden.

Tegen de tijd dat ik aangekleed ben, ben ik compleet opgefokt. Eigenlijk heeft hij me gewoon het perfecte excuus gegeven om eindelijk de confrontatie aan te gaan over zijn geheimhouding omtrent de tweeling en Annie. Zoiets maak je niet goed met een ontbijtje op bed, en dat weet hij heel goed.

Ik sta al bij de slaapkamerdeur, als ik weer moet denken aan de kaart onder mijn kussen. Ik weet dat ik onmogelijk naar beneden kan gaan, zonder die eerst te lezen.

De kaart is niet groot. Een standaard witte envelop met 'Mr. B. Finn' in keurige letters op de voorkant. Ik draai hem om en om in mijn handen, terwijl ik probeer te raden wat erin zou zitten. Zou het hetzelfde zijn als vorig jaar? Of zouden ze iets nieuws verzonnen hebben? Misschien hebben ze zich bedacht en zich gerealiseerd wat een enorme fout ze gemaakt hebben. Terwijl de gedachten door mijn hoofd razen, scheur ik de envelop open en trek ik de kaart tevoorschijn. Snel lees ik de tekst aan de binnenkant:

*Beste Billy,*
*We hopen dat het goed met je gaat en dat je een leuke vijftiende verjaardag hebt. Bijna niet te geloven dat er alweer een jaar voorbij is, nietwaar?*

O, jawel hoor, voor mij wel, denk ik cynisch, terwijl ik me afvraag wanneer ze ter zake komt.

*Grant en ik sturen je de hartelijke groeten en we hopen dat je weet dat, hoewel we elkaar al zo lang niet meer gezien hebben, we nog altijd veel aan je denken.*
*We hopen dat het goed gaat met jou en met de tweeling, en dat je het een*

*beetje kunt vinden met Ronnie. Hij houdt ons nog regelmatig op de hoogte*
*van hoe het met jou gaat – en dat stellen we erg op prijs.*
*We wisten niet wat we dit jaar voor je moesten kopen, vandaar deze*
*tegoedbon, dan kun je zelf wat moois uitzoeken.*
*In gedachten zijn we bij je op deze bijzondere dag.*
*Jan en Grant.*

Terwijl ik de bon van tien pond uit de envelop trek, zoek ik elke centimeter van de kaart af naar een paar woorden van Grant, voordat het tot me doordringt dat hij enkel zijn naam naast die van Jan geschreven heeft. Geen boodschap, geen vriendelijke woorden, enkel zijn naam, waarschijnlijk ook alleen maar omdat zijn vrouw erop aangedrongen heeft. Drie jaar is dan misschien een lange tijd voor Jan, maar duidelijk nog niet lang genoeg voor hem.

Ik gooi de kaart door de kamer en kan niet geloven dat ik weer eens heb lopen dagdromen. Waarom zouden ze in vredesnaam ook opeens van gedachten veranderd zijn? Ze hadden hun besluit genomen. Ik was niet waarnaar ze op zoek geweest waren. Was niet waarvan ze gedroomd hadden.

Ik stop mijn negatieve gevoelens zo diep mogelijk weg en loop richting de trap. Geen haar op mijn hoofd die eraan denkt om Ronnie nu nog te gaan bedanken.

Gelukkig voor hem komen we elkaar die ochtend niet tegen. En nadat er een uur voorbij gegaan is, begin ik zelfs te denken dat hij al naar huis is.

Typisch. Zelfs op mijn verjaardag kan hij niet wachten om te vertrekken. Fijne 'oom'. Waarschijnlijk heeft hij alweer plannen met zijn zoons. Voetballen of ergens een hapje gaan eten. Of wat je dan ook met je eigen kinderen doet.

Terwijl het langzaam richting lunchtijd loopt, wordt mijn humeur er niet beter op. Het mocht dan wel mijn 'bijzondere dag' zijn, maar dat neemt niet weg dat het een zaterdag is, en dat betekent dat ik de tweeling die middag aan Annie moet afstaan.

Het vooruitzicht haar met hen te moeten zien vertrekken, is me gewoon even te veel, en dus trek ik mijn telefoon uit mijn zak en bel Daisy. Het bandje met haar voicemail is nog maar net begonnen, of ik voel hoe iemand mij op mijn rug tikt. Geërgerd verbreek ik de verbinding, voordat ik me omdraai naar de Kolonel, die me met een brede glimlach staat aan te kijken.

'Tjonge, Bill. Kun je nog chagrijniger kijken? Een glimlach kost niks hoor.'

Hij mag van geluk spreken dat ik hem niet meteen op zijn gezicht sla.

'Loop even met me mee vriend. Ik moet je wat dingen vertellen.'

Uiteraard ben ik meteen op mijn hoede.

'Waarom zou ik naar jou luisteren? Dacht je nu echt dat een ontbijtje op bed ervoor zou zorgen dat we nu opeens vrienden zijn?'

Ronnie kijkt verbaasd. 'Wat? O, doe toch eens normaal, Billy. Dat is nog niet alles. Maar eerst moeten we even praten. En daarna kan je verjaardag echt goed beginnen.'

'Hoe bedoel je?' roep ik, terwijl hij weg marcheert.

'Wacht maar af, zonnestraaltje, je ziet het vanzelf. Kom op nu!'

Hier heb ik geen antwoord op. Behalve dan achter hem aanlopen en mijn middelvinger naar hem opsteken.

# 15

Gelukkig blijkt de wandeling niet langer dan een minuut of twee te duren. Net lang genoeg om het veld naar de oude garages over te kunnen steken. Ronnies voorhoofd is al die tijd gefronst, wat meestal niet veel goeds betekent.

Vlak voordat we bij de vervallen oude gebouwen aangekomen zijn, wijst hij naar een bankje.

'Neem even plaats, Billy. Ik moet iets met je bespreken.'

'Ga jij maar zitten. Ik blijf liever staan.'

Wanneer hij denkt dat ik het hem makkelijk zou maken, dan heeft hij zich toch echt vergist.

Ik zie hoe hij zijn schouders een beetje laat hangen, nu dit eerste gedeelte van wat hij dan ook in zijn hoofd gehad heeft, meteen al niet goed blijkt te gaan.

'Het gaat over Annie,' zegt hij. 'Nou ja, min of meer. Eigenlijk meer over haar en de tweeling.'

Ik voel de spanning in mijn buik toenemen, terwijl ik wacht op de door mij zo gevreesde woorden.

'Zoals je weet, ziet Annie de tweeling alweer een tijdje regelmatig. Al achttien maanden, om precies te zijn, zonder ook maar één keer overgeslagen te hebben. En Dawn en ik, nou ja, het hele team eigenlijk, vinden dat ze erg veranderd is. In positieve zin. Ik neem aan dat dat jou ook al wel opgevallen was.'

Ik staar hem aan en laat de vraag in de lucht hangen. Wat verwacht hij nou? Dat ik het met hem eens zou zijn?

'Goed, hoe dan ook hebben we besloten dat het voor de tweeling waarschijnlijk het beste is, wanneer de regeling uitgebreid wordt. Naar een volgend niveau getild wordt, zogezegd.'

Zoiets verzin je toch niet? Al die onzin die hij uitkraamt. *Naar een volgend niveau getild?*

'Het team heeft daarom besloten dat het contact tussen Annie en de tweeling wordt uitgebreid naar drie keer per week en dat ze ze voortaan op zaterdag zonder toezicht mag meenemen.'

Het wordt steeds lastiger om te zwijgen, aangezien de woede inmiddels tot in mijn vuisten gekropen is. Maar hoe moeilijk dit ook is voor mij, ik wil dat het voor hem nog moeilijker is. Ik wil hem zien worstelen met al zijn leugens.

'Ik probeer me voor te stellen hoe moeilijk dit voor jou moet zijn, Bill. Ik weet wat de tweeling voor jou betekent. En ik heb gezien wij allemaal – hoe je je best gedaan hebt sinds je laatste beoordeling. Maar in dit geval moeten we aan het belang van de tweeling denken. Ze zijn nog maar negen, vriend. En ze zitten al acht jaar hier. Dat is gewoon veel te lang! Jij, als geen ander, weet dat. Maar dit zou een geweldige kans voor ze zijn. En ook voor Annie trouwens.'

'Voor haar?' roep ik. 'Vind je ook niet dat zij inmiddels genoeg kansen gehad heeft? Zij had haar kans tien jaar geleden al en die heeft ze verspeeld. Ze koos voor Shaun, weet je nog?' Alleen al bij het noemen van zijn naam word ik misselijk. 'Ze koos voor hem en voor de drank. Dat hoefde ze niet, maar ze deed het wel. Dat was haar eigen keus. *Dat was haar kans.*'

Ronnie wrijft met een hand over zijn voorhoofd, terwijl hij met zijn andere mijn priemende vinger weg duwt.

'Mensen veranderen, Bill.'

Hij probeert mijn arm vast te houden, lang genoeg om herinneringen aan Shaun boven te laten komen.

'Ze veranderen echt, vriend. Dacht je soms dat Annie geen spijt heeft van wat ze gedaan heeft? Zij moet elke dag leven met de gedachte dat haar drie kinderen in een tehuis zitten.'

'Twee kinderen,' flap ik eruit. 'Ze heeft twee kinderen. Ze is mijn moeder niet. Ik ben haar zoon niet.'

'Ze zal altijd jouw moeder blijven, Bill.'

'Sinds ze die papieren ondertekend heeft, is ze mijn moeder niet meer, Ronnie. Sinds ze Jan en Grant verteld heeft dat ze me konden hebben.'

'O, Billy, die papieren heeft ze destijds alleen maar ondertekend omdat ze dacht dat het het beste zou zijn voor jou. Drie jaar geleden zat ze nog in een hele andere situatie. Waarschijnlijk durfde ze toen niet eens te dromen dat ze er ooit zo voor zou staan als nu.'

'En hoe zit het dan met mij?' roep ik, voordat ik me realiseer dat ik te veel gezegd had. Ik staar naar de grond, probeer de woede die ik voel te laten verdwijnen, probeer hem in te slikken, zoals ik al zo vaak gedaan heb.

'Kom maar op, Ronnie,' grom ik. 'Vertel me de waarheid. Hoe lang nog, voordat je ze van me afpakt? Hoe lang nog voordat je haar weer haar gang laat gaan met ze?'

'Laten we nou niet meteen op de zaken vooruit lopen, Bill. Er zijn nog geen data geprikt. Dat wil Annie ook helemaal niet. De afgelopen zes maanden heeft ze een periode van evaluatie doorgemaakt. Ze is bij dokters geweest, bij hulpverleners, bij maatschappelijk werkers, en allemaal hebben ze gekeken naar hoe ze er nu voor staat; of ze het aan zou kunnen om de tweeling weer thuis te hebben. Wanneer ze het uitgebreidere contact aan blijkt te kunnen en wanneer het voor de tweeling ook positief zal blijken, dan pas gaan we een stapje verder: af en toe een nachtje slapen, weekendbezoekjes. Maar het kan nog wel een jaar duren voordat ze definitief naar huis gaan.'

'Maar voor hetzelfde geld kan het ook sneller gaan, of niet?'

Hij kan me niet eens in de ogen kijken, terwijl hij knikt.

'Ik zal niet liegen, Bill. Het zou inderdaad ook sneller kunnen gaan.'

Ongelovig schud ik mijn hoofd. Ik weet niet of ik hem naar de keel moet vliegen of me om moet draaien om er vandoor te gaan. Geen idee wat beter is. Ik weet niet eens zeker of het me eigenlijk wel wat kan schelen.

'Hoelang weten jullie dit al?' Ik moest weten of hij me de waarheid durfde te vertellen. 'Hoelang hebben jullie dit al achter mijn rug zitten bekokstoven?'

'Zie het nu niet als een samenzwering, Billy. Maar er wordt inderdaad al een poosje over gesproken, misschien al wel een jaar.' Waarschijnlijk ziet hij de pijn in mijn ogen, wanneer hij dit zegt, want het volgende moment komt hij met uitgestrekte armen op me af. 'En elke keer weer vroegen we ons af wanneer we het jou moesten vertellen, wat het juiste moment zou zijn.'

Opnieuw schud ik mijn hoofd. 'En jullie dachten dat vandaag wel een juist moment was? Op mijn verjaardag? Geweldig, Ronnie. Ge-wel-dig. Sterker nog, waarom laat je ze niet vanmiddag ook meteen met Annie meegaan? O ja,' voeg ik er cynisch aan toe. 'Dat doe je al!'

Hij kijkt me aan alsof ik hem geslagen heb. Alsof hij degene is met pijn.

'Er zou nooit een juist moment gekomen zijn, Bill. Ik wilde het je al weken vertellen, maar het leek zo goed te gaan met je. Alsof je langzaam aan het opkrabbelen was. En dus wachtte ik nog even. Maar nu besef ik dat dat fout was, vriend.'

'Wat nobel van je.'

'Ik snap dat dit als een schok komt, Bill. Ik weet dat het moet voelen als het einde van de wereld, maar het is nog vroeg en er kan nog van alles veranderen, geloof me.'

Het probleem is, dat ik niet kan geloven dat er iets zou gaan veranderen. Er verandert nooit iets hier.

'Kinderen horen in een gezin. Dat geloof ik oprecht. Ik moet wel. Daarom doe ik dit werk. Dus probeer me te geloven, wanneer ik zeg dat we dit allemaal echt met de beste bedoelingen doen. De tweeling heeft een gezin nodig.'

En ik zeker niet, denk ik, terwijl het laatste sprankje hoop in mij dooft.

'Moet je horen. Ik heb iets voor je. Iets, waaraan ik nu al een poosje werk. En ik denk dat je het echt leuk zult vinden. Misschien dat het je zelfs kan helpen.'

Ik kan mijn oren niet geloven. Plotseling is het weer mijn verjaardag. Vergeten is het feit, dat hij me zojuist verteld heeft dat hij mij en de tweeling uit elkaar zou halen, nu is het weer tijd voor ballonnen en slingers.

'Ik wil helemaal niks van jou. Snap je dat nu nog niet? Niks. Ga naar huis, Ronnie. Rot op, ga naar je jongens, of wat je dan ook doet, wanneer je dienst erop zit. Maar geef me vooral niks. Ik hoef het niet en ik hoef jou ook niet.'

En met die woorden loop ik terug naar het tehuis, hoewel het hek me een beter idee lijkt. Maar hoezeer ik er ook vandoor wil gaan, ik weet dat het geen optie is. Annie zou hier over twee uur zijn en ook al is de kans klein, mocht ze niet komen opdagen, dan wil ik hier zijn. Voor de tweeling. Het is tenslotte niet hun schuld. Het is de schuld van alle anderen. En van mij.

# 16

De sleutel in mijn hand schraapt over de lengte van de auto, maar ik voel niets. Het geeft me geen kick, de donkere wolken in mijn hoofd worden er geen moment door verdreven.

Hoe ik de situatie ook bekijk, wat ik ook verniel, de feiten blijven hetzelfde. Ik zal ze kwijt raken. Sterker nog, ik ben ze al kwijt, zoals ik alles inmiddels kwijt ben.

Uiteraard was Annie gewoon komen opdagen. Keurig op tijd en helemaal met zichzelf ingenomen.

Lizzie had al ongeduldig staan wachten, haar gezicht tegen het raam aangedrukt, de minuten aftellend totdat ze naar buiten kon rennen en zich in Annies armen kon storten. Voor een onstuimige omhelzing, zo één die ze normaal voor mij gereserveerd had.

Ik had geen zin om te blijven rondhangen, toen ze er eenmaal was. Louie stond naast me, zoals altijd, maar ik wist dat ook hij naar buiten wilde, Lizzies voorbeeld wilde volgen. Dus nadat ik hem veel plezier gewenst had, klom ik de trap op naar mijn kamer. Niet dat ik daar bleef. Nadat ik al mijn kaarten (behalve die van de tweeling) in mijn broekzak gepropt en mijn jas gepakt had, klom ik via de brandtrap naar buiten, ondertussen een sms typend. Gelukkig duurde het niet lang voordat de telefoon begon te zoemen en ook nog eens met het antwoord, waarop ik gehoopt had:

*Xje bij t veldje 10 min*

Vreemd genoeg is het bankje bij het veldje onze ontmoetingsplek geworden; het is eigenlijk nooit bij ons opgekomen om er weg te blijven. De jongens die ons die avond lastiggevallen hadden, hadden zich er niet meer laten zien en we hadden er verder ook niet meer zo bij stilgestaan. Het was gewoon ons plekje, waar we na schooltijd heen liepen, of soms ook tijdens schooltijd.

In de weken na de grap met Carrick hadden we behoorlijk wat gespijbeld, maar we probeerden het slim aan te pakken. De leraren hoorden we er in elk geval niet over, hoewel die toch gemerkt moesten hebben dat we er af en toe niet waren. Waarschijnlijk waren ze allang blij dat het gedoe van ons de klas uitsturen ze bespaard bleef.

Soms bleven we trouwens wel gewoon op school. Ik had haar inmiddels laten kennismaken met de materiaalruimte achter de gymzaal, waar we nu dus ook af en toe rondhingen. Soms praatten we en soms niet.

We deden verder niets of zo. Ik vond haar heus wel leuk, al was het alleen maar omdat het prettig was om je voor de verandering eens op je gemak te voelen in het bijzijn van iemand anders. Om je eens niet af te hoeven vragen of ze je echt leuk vonden, of dat ze alleen maar uit medelijden met je optrokken.

Wanneer ik iets zei, ging dat meestal nergens over. Het was niet, dat ik nu zo op de hoogte was van wat er allemaal speelde op de wereld. Het enige wat ik kende, was het leven in het tehuis met de Kolonel, waardoor mijn verhalen haar op een gegeven moment waarschijnlijk de neus uitkwamen.

Daisy daarentegen leek juist heel veel verstand van heel veel dingen te hebben. Muziek, boeken, films vooral. Ze vertelde me over films, zo enthousiast en zo gedetailleerd, dat ik bijna het gevoel kreeg dat ik ze zelf gezien had. Soms sloot ik zelfs mijn ogen, wanneer ze vertelde, zodat ik het allemaal beter voor me kon zien. Uiteraard zorgde ik ervoor dat zij dat niet in de gaten had. Ik wilde natuurlijk niet dat ze zou denken dat ik gestoord was.

Het enige waarover ze niet vertelde, was zichzelf. Sinds die keer bij de friettent, werd er niet meer gesproken over haar leven als tehuiskind. En hoewel ze het blijkbaar niet erg vond om naar mijn geklaag over de Kolonel te luisteren, vertelde ze nooit iets over die vrienden, bij wie ze woonde, of, nog veel belangrijker, over wat er bijvoorbeeld met haar ouders gebeurd was.

En ik vond het prima. Natuurlijk bleef ik het me wel afvragen, maar wat had het voor nut om aan te dringen?

Zittend op het bankje, mijn lijf nog vol adrenaline, begin ik er langzaam aan te twijfelen of Daisy wel komt opdagen. Dat zou er nog net bij moeten komen. Een kwartier later heb ik het al bijna opgegeven en wens ik dat Jan en Grant me gewoon geld gestuurd hadden in plaats van die tegoedbon, zodat ik er iets alcoholisch van had kunnen kopen, in plaats van een stomme pen of zo.

Maar net als ik wil gaan, komt ze eindelijk aangelopen. En voor het eerst sinds onze ontmoeting lijkt ze een beetje nerveus. Bijna rennend komt ze de hoek om en ik zie dat ze in zichzelf loopt te mompelen, ondertussen dramatisch met haar armen zwaaiend. Ze laat zich naast me op de bank ploffen, pakt het pakje shag uit haar tas en begint driftig te rollen. Pas wanneer de sigaret klaar, aangestoken en in haar mond was, begint ze te praten.

'Oké, wat is er aan de hand?'

'Hetzelfde als met jou, zo te zien,' zeg ik, met een spottende glimlach. 'Helemaal gehad met al die eikels om me heen.'

Ze lacht door haar neus, waarbij een wolk van rook haar neusgaten verlaat. Maar meteen daarop kijken we allebei weer bloedserieus.

'Waar bleef je trouwens?' vraag ik. 'Dat leken wel de langste tien minuten van mijn leven.'

'Praat me d'r niet van. Ze hadden blijkbaar besloten dat we de dag eens samen zouden doorbrengen. Het probleem was alleen, dat ze het niet even van te voren met mij overlegd hadden. Wat is dat toch met volwassenen? Denken ze nu echt dat wij het zo geweldig vinden om onze tijd met hen door te brengen?'

Ik leun naar voren, meteen een en al belangstelling, omdat het blijkbaar over haar vrienden gaat. Het is voor het eerst dat ze een tipje van de sluier oplicht over haar thuissituatie en ik probeer een manier te vinden om geïnteresseerd te lijken, zonder al te gretig over te komen.

'Doen ze dat vaker?' vraag ik.

'Wat?' Plotseling weer even afwezig als altijd.

'Die vrienden van je. Willen die vaak samen iets doen?'

'Niet als het aan mij ligt.' Ze kijkt me aan en is weer bij de les. 'En, hoe gaat het bij jou? Zit de Kolonel je weer eens dwars?'

'Ach,' mompel ik, terwijl ik me afvraag of ik het er eigenlijk wel over wil hebben. 'Eigenlijk ben ik vandaag jarig, weet je.'

'Nou, wat is dan het probleem? Dat moet je vieren. Ga wat leuks doen met de tweeling of zo.'

Ze heeft gelijk natuurlijk, en dat maakt de waarheid des te ondraaglijker.

'Tja, dat is juist het probleem.' En voordat ik het weet, vertel ik haar uitgebreid over mijn dag. Het ontbijt van de tweeling, Ronnies aandeel daarin, en de confrontatie die we daarna gehad hadden. Ik vertel haar zelfs tot in detail over Annies plannen, en hoewel het goed voelt zolang ik spreek, blijkt mijn depressie alleen nog maar verergerd tegen de tijd dat ik klaar ben.

'Dus dit is alles wat ik voor mijn verjaardag gekregen heb,' zeg ik, terwijl ik de kaarten uit mijn broekzak trek.

'Je hebt tenminste nog kaarten *gekregen*,' zegt Daisy, terwijl ze haar peuk opnieuw aansteekt.

'Ik heb liever niets dan dit. Ik bedoel, kijk dan van wie ze zijn. Wat kinderen, die me niet uit kunnen staan, een stel volwassenen, die het alleen maar doen omdat ze ervoor betaald worden, Ronnie – daar hebben we het al genoeg over gehad – en deze,' zeg ik, terwijl ik de kaart van Jan en Grant bovenop leg.

'Van wie is die?'

Ik wacht even voordat ik verderga. 'Gewoon, een echtpaar. Een paar jaar geleden heb ik een poosje bij ze gewoond, maar dat – nou ja, het was niet zo'n succes.'

'Waarom niet? Wat gebeurde er?'

'Geen idee,' lieg ik. 'Het klikte gewoon niet zo goed. Ze waren een beetje apart. Hadden van die vreemde ideeën, over hoe het er bij hun thuis aan toe moest gaan. Ze vonden het maar niks, wanneer ik het ergens niet mee eens was. Uiteindelijk wilde ik weg en heb ik mijn maatschappelijk werker zover gekregen dat hij me terug liet gaan naar de tweeling.' Terwijl de leugens uit mijn mond rollen, ga ik er zelf bijna in geloven.

'Maar waarom sturen ze je dan een kaart?'

'Geen idee. Ik zei toch al dat ze niet helemaal spoorden.'

Ze pakt de kaart uit mijn handen.

'Laat eens lezen wat ze geschreven hebben. Ze klinken inderdaad behoorlijk bizar.'

Maar dat gaat me toch te ver. Het is prima dat ik ze afkraak, maar iemand anders moet dat niet proberen. En ik wil al helemaal niet dat zij zou lezen wat ze geschreven hebben.

'Hé, geef terug. Dat is privé.'

'Oké, rustig maar, Billy,' sust ze, terwijl ze me de kaart teruggeeft.
'Ik dacht dat je zei dat het van die rare lui waren. Ik wilde gewoon even lachen, meer niet.'
'Tja, zoek maar iemand anders om uit te lachen.' Ik ben het zat om altijd maar het mikpunt van iedereens grappen te zijn. 'Mag ik je aansteker even lenen?'
Onwillig geeft ze hem aan, nadat ze eerst haar peuk weer opnieuw aangestoken heeft. Ze is meer bezig met het aansteken van haar sigaretten, dan met het daadwerkelijk roken ervan. Je snapt niet waarom ze überhaupt nog de moeite doet.
Ik klap de aansteker open en ontdek dat aan de binnenkant nog vaag de initialen 'JH' leesbaar zijn. Het ding moet al wel jaren oud zijn, maar je kunt zien dat ze er zuinig op is, hij ziet er glimmend gepoetst uit, niets voor Daisy eigenlijk.
Met een druk op het knopje komt de Zippo tot leven, en springt er een grote vlam tevoorschijn.
'Er was niet eens een taart voor me,' zeg ik met een grimmige glimlach. 'Jammer. Terwijl ik het altijd zo leuk vind om kaarsjes uit te blazen.'
Een voor een houd ik de kaarten in de vlam, net zo lang, totdat ze allemaal in brand staan. Zachtjes blazend loop ik met het stapeltje naar de vuilnisbak en kijk erin. Tot mijn tevredenheid constateer ik dat er al een flinke hoeveelheid troep in ligt.
Met een zwaai gooi ik de kaarten in de vuilnisbak en blaas opnieuw, waardoor de vlammen al gauw omhoog schieten.
Daisy schuift dichterbij op de bank, laat de warme lucht langs haar gezicht strijken. Ze trekt haar benen onder zich op en kijkt me weer aan.
'Dus, wat zijn je plannen voor de rest van de avond? Het is tenslotte je verjaardag.'
'Hetzelfde als altijd. Op bed liggen en naar de sterren kijken, waarschijnlijk.'
Daisy staart me aan alsof ik volslagen krankzinnig ben.
'Zit er een gat in je plafond dan? Dan zou ik toch maar eens een gesprek met m'n maatschappelijk werker aanvragen, als ik jou was.'

Voor het eerst in wat uren lijken, moet ik glimlachen. En terwijl ik haar vertel over de nutteloze dode sterren in mijn kamer, voel ik me plotseling op mijn gemak. Goed, het was nog niet het soort geluk dat je waarschijnlijk hoort te voelen op je verjaardag, maar het is een begin.

Een tijdje zitten we zo in de vlammen te staren, totdat we het geloei van sirenes horen. Eerst negeren we het nog, omdat we denken dat het waarschijnlijk gaat om een zaterdagavondrelletje in een van de lokale pubs. Pas als plotseling een politieauto de hoek om komt, dringt het tot ons door dat we zelf het doelwit zijn.

'Het lijkt erop dat niet iedereen ons vuurtje weet te waarderen,' roept Daisy. 'Heb jij zin in een gesprekje met die smerissen?'

'Hmm, niet echt,' antwoord ik, voordat ik me omdraai. 'Rennen!' En lachend als een stelletje idioten gaan we er vandoor.

# 17

Tegen de tijd dat ik de brandtrap op strompel ben ik gewoon helemaal duizelig, maar ik heb geen idee of dat komt door onze kroegentocht of door de slappe lach, die we na afloop gekregen hebben.

Ik moet eerlijk bekennen dat ik hiervoor nog nooit zoiets gedaan heb. Nadat we een paar minuten gerend hadden, totdat we er zeker van waren dat we de smerissen kwijt waren, waren we blij geweest toen we de Hop Pole gezien hadden. Het was een oude kroeg, vlak bij de rondweg, met van die grote spandoeken, waarop stond dat ze de goedkoopste steak met friet van de stad serveerden. Meestal geen garantie voor goede kwaliteit, maar toch was de parkeerplaats nooit leeg.

'Perfect,' zei Daisy, nog altijd lachend, toen ze de grote groep mensen in de deuropening zag staan. 'Zin om op je verjaardag te proosten?'

'Net alsof dat hier mogelijk is. Kom op, laten we naar de pub gaan, om een fles van het een of ander te jatten.'

'Niet nodig, Billy. Ik trakteer.'

Grijnzend trok ze me mee en legde me uit wat de bedoeling was. Het belangrijkste was, om niet overmoedig te worden. Altijd maar één ronde per kroeg. Nooit meer. De rest was simpel. Het draaide allemaal om afleiding en teamwork. En tjonge, wat was ze goed. Een genot om naar te kijken. En ze had gelijk, het was super simpel.

Ze keek toe hoe de mensen met hun drankjes naar een van de picknicktafels liepen, maar pas wanneer ze allemaal hun biertjes op tafel neergezet hadden, sloeg ze haar slag. Ze liep op ze af en speelde haar rol. Deels kwetsbaar en meisjesachtig, deels ondeugend. Soms vroeg ze alleen maar om iets simpels als een vuurtje; soms vroeg ze naar de weg. Maar hoe ze het ook aanpakte, altijd wist ze hun volledige aandacht te krijgen. Van iedereen, hoeveel het er ook waren.

Het was geweldig om naar te kijken, zozeer zelfs, dat ik de eerste keer bijna vergat dat ik ook nog mee moest doen. Mijn rol was simpel: terwijl zij ze aan de praat hield, hoefde ik alleen maar langs te lopen en een biertje van tafel te grissen. Eentje maar, nooit meer. Ook geen twee. Dat zou te snel opvallen, maar bij één missend biertje zouden ze al snel denken dat ze het zelf ergens hadden laten staan.

Tegen die tijd waren wij er echter allang weer vandoor, op naar de volgende pub, biertje in de hand.

Na drie biertjes begon ik het al behoorlijk te voelen, vooral omdat ik de hele dag nog niets gegeten had.

Het werd steeds moeilijker om haar bij te houden, vooral toen ze begon met het jatten van sterke drank, in plaats van bier. De eerste wodka wist ik nog met moeite weg te krijgen, tot haar grote vermaak. Maar toen ze met een glas whisky aan kwam, voelde ik de paniek in me opkomen.

'Hier, drink op,' zei ze glimlachend, terwijl ze me het glas onder mijn neus hield.

De geur alleen al brandde in mijn keel, bracht me meteen tien jaar terug in de tijd. Terug naar de plek, waar ik absoluut niet heen wilde. Terug naar Shaun, met zijn kwaaie kop en zijn nog kwaaiere vuisten.

Instinctief sloeg ik het glas weg, waardoor het kletterend op de grond kapot viel, wat ons geërgerde blikken van de andere drinkers opleverde.

Daisy begon te grinniken, dacht dat ik dronken was in plaats van in paniek.

'Oeps. Ik geloof dat het tijd wordt om te gaan. Drink op.'

Ik sloeg de rest van mijn biertje achterover, in een wanhopige poging, de geur van de whisky te verdrijven. Het laatste restje knoeide ik over mijn shirt heen, omdat Daisy me al mee de straat op trok.

Ik voelde hoe ik steeds onvaster op mijn benen stond, terwijl ik mee strompelde.

'Hoe laat is het?'

'Bijna acht uur.'

'Ik moet gaan.'

Ze keek ontdaan. 'Hoe bedoel je? Het is nog hartstikke vroeg.'

'Het is vanwege de tweeling. Die komen straks terug en vragen zich dan af waar ik ben.'

'Maar het is je verjaardag. Geniet toch eens een beetje. Zij redden zich echt wel, hoor. Het is alleen maar voor vanavond.'

Ik glimlachte, wou dat het zo eenvoudig was. 'Maar dat is toch al één avond teveel. Ik wil niet dat ze door iemand anders naar bed gebracht worden. Dat is mijn taak.'

'Je bent een goeie vent, Billy Finn. Een beetje gestoord misschien, maar verder een goeie vent. Laat je nooit wat anders wijs maken.'

En terwijl ze een verse peuk opstak, liep ze weg.

'Ik sms je morgen,' riep ik haar na, terwijl ik me afvroeg of ze nu kwaad op me was, omdat ik er al zo vroeg mee op wilde houden. Grijnzend draaide ze zich nog een keer om en knikte, voordat ze weer doorliep. Helemaal in gedachten verzonken.

Ik keek op mijn horloge, voordat ik me terug naar het tehuis haastte.

Nadat ik gecontroleerd had of de kust veilig was, liet ik mezelf via de brandtrap en het raam van mijn kamer binnen.

De kamer ruikt nog een beetje naar bacon en ik vraag me af of ik het bord misschien naar beneden moet brengen. Maar dat vind ik toch te veel werk en dus kiep ik de restanten door het raam naar buiten en laat ik het bord op de vensterbank staan, hopend dat het uiteindelijk wel door de regen schoongespoeld wordt.
Ik gooi mijn jack op het bed en zie dan een opgevouwen briefje op het kussen liggen.
Terwijl ik het oppak, valt er een sleutel uit. Niet groot, van een klein slot waarschijnlijk. Ik raap de sleutel op en lees het briefje:

*Bill,*
*Ik wilde je alleen even laten weten dat het me spijt. Ik had het mis vandaag.*
*Deze sleutel is voor jou. Hij past op het slot van de oude garage.*
*Gefeliciteerd met je verjaardag, knul.*
*Ronnie*

Ik draai de sleutel om in mijn hand, heb geen idee wat dit allemaal te betekenen heeft. Maar mijn nieuwsgierigheid is gewekt. Voordat ik echter de kans krijg om op onderzoek te gaan, klinkt er kabaal in de gang. Hard roepende stemmen, waarvan er één van Lizzie is.
'Laat me los!' schreeuwt ze. 'Je kunt me toch niets maken!'
Ik ren de kamer uit, waar ik geconfronteerd word met een rood aangelopen Lizzie, die net door Maggie, een van de oudere klootzakken in het tehuis, richting de badkamer gesleurd wordt.
'Blijf met je handen van haar af!' roep ik, terwijl ik Maggie bij haar pols pak. 'Blijf van haar af en laat haar met rust.'
Ze lijken allebei nogal verrast door mijn plotselinge verschijning en Maggie laat meteen los. Maar ik niet. Ik wil haar duidelijk maken dat ze nooit meer ook maar één vinger naar Lizzie mag uitsteken.

Uiteraard bevalt haar dit niet en dus reageert ze op die voor klootzakken zo typische manier, met een bedreiging van haar kant.

'Billy, laat mijn arm los. Lizzie weigert om in bad te gaan en dus begeleid ik haar alleen maar even naar de badkamer. Dat is geen reden voor jou om meteen weer agressief te worden.'

Maar ik ben nog altijd niet van plan om los te laten, vooral niet wanneer ik haar reactie zie.

'Billy, laat mijn arm LOS.'

Ik verroer geen vin.

'Laat NU mijn arm los, of ik –'

'Wat?' val ik haar in de rede. 'Of je doet wat? De tweeling van me afpakken? Een beetje laat om daar nu nog mee te gaan dreigen, vind je ook niet?'

Zodra ik de woorden gezegd heb, heb ik er alweer spijt van. Ik voel hoe Lizzie naar me kijkt.

'Hoe bedoel je, Bill?' vraagt ze, een angstige blik in haar ogen. 'Waar sturen ze ons heen, dan?'

Nu laat ik Maggies arm los. 'Nergens heen, meisje, nergens heen. Ik was een beetje dom. Let maar niet op mij.'

'Maar net zei je dat ze ons zouden afpakken. Dat mogen ze niet doen, Bill. Wij willen niet weg.'

Ik sla mijn arm beschermend om haar heen, in een poging haar te kalmeren. Maar ik kan niet tegen haar liegen. Niet zoals ze tegen mij gelogen hebben.

'Het komt wel goed,' zeg ik. 'Ga jij nu maar in bad en dan hebben we het er straks nog wel over.'

'Beloof je dat?'

'Natuurlijk. Zodra je klaar bent voor bed, praten we verder.'

Ze kijkt nog altijd ongerust, terwijl ze zich omdraait naar de bad-kamer.

'Billy. Blijf je...?'

'Maak je geen zorgen, Lizzie. Ik blijf voor de deur staan.'

Zodra ze de deur achter zich gesloten heeft, bevriest de glimlach op mijn gezicht.

Hier sta ik dan, straalbezopen, wanhopig op zoek naar een manier om mijn enige familie te vertellen dat ze binnenkort ergens anders heen moeten.

Het zou het perfecte einde van de verjaardag van een tehuiskind geweest zijn, maar het bleek nog niet alles.

# 18

Het stukje lopen deed me goed. Het was harder gaan waaien, wat ik prima vond, aangezien de wind de wolken wegblies, waardoor ik de hemel weer even kon zien. Ik ademde diep in en probeerde mezelf ervan te overtuigen dat de tweeling begrepen had, wat ik ze geprobeerd had uit te leggen.

Nog nooit was Lizzie zo snel in bad gegaan. 'Een muizenwasje' zouden Jan en Grant het genoemd hebben.

Binnen tien minuten hadden zowel zij als Louie alweer op de rand van hun bedden gezeten, wachtend op mijn verklaring. En terwijl ik begon te praten, wist ik nog altijd niet wat ik moest gaan zeggen. 'Niet zo bang kijken, jongens. Het is geen slecht nieuws, het is echt allemaal goed.' Maar hoe hard ik ook probeerde te glimlachen, ik voelde hoe er iets in mij brak, terwijl ik de woorden uitsprak. 'Ze gaan jullie niet afpakken, ze willen gewoon graag dat jullie naar huis gaan.'

Ik hoopte dat ze me zouden begrijpen, zonder dat ik het voor ze moest uitspellen, maar uiteraard bleek dat niet het geval. Hoe hadden ze het ook moeten begrijpen? Dit was alles, wat ze kenden. Dit was hun thuis.

'Naar Annies huis,' zei ik dus langzaam. 'Annie wil graag dat jullie weer bij haar komen wonen.'

Op dat moment viel alle spanning van Lizzie af, en ze wierp zich in mijn armen. Maar Louie bleef op het bed zitten, zijn gezicht nog altijd angstig.

'En jij dan, Bill?' vroeg hij.

'Maak je over mij maar geen zorgen, knul,' antwoordde ik, terwijl ik hem wenkte.

'Bill komt natuurlijk met ons mee, toch, Bill?', zei Lizzie.

'Nee, ik kom niet mee. Dat zou geen succes zijn. Annie heeft heel erg haar best gedaan om weer gezond te worden, maar ze is nog altijd een beetje nerveus, weet je. Ze moet het rustig aan doen, het zal dus al moeilijk genoeg voor haar zijn om jullie twee aan te kunnen.'

'Maar zodra wij bij haar zijn en alles goed gaat, mag jij ook komen, toch?', vroeg Lizzie, terwijl ze mijn arm bijna fijn kneep.

'Luister, daar moet je allemaal niet teveel over nadenken. Het kan namelijk nog heel lang duren, voordat ze zich daar goed genoeg voor voelt. En tegen die tijd ben ik hier misschien allang weg. Woon ik op mezelf. Ergens in een flatje met kamers voor jullie allebei, zodat jullie in het weekend kunnen komen logeren en zo. Wanneer je maar wilt.'

Ik kon niet geloven wat ik allemaal zei, maar ik wist dat ik wel moest, hoeveel pijn het ook deed.

'Maar ik wil dat je met ons mee komt, Billy. Ze kunnen ons toch niet zomaar uit elkaar halen. Ik weet zeker dat Annie dat ook goed vindt.'

De vragen bleven maar komen, terwijl ik ze instopte. Ik probeerde het allemaal zo positief mogelijk te benaderen. Wat had het voor zin om Annie nu nog zwart te maken? Er was toch niets meer aan te veranderen en dus moest ik het zo makkelijk mogelijk zien te maken voor ze.

Nadat ik ze een verhaaltje had voorgelezen en op mijn gebruikelijke plekje bij de deur wilde gaan zitten, werd ik nog een keer terug geroepen door Louie.

'Bill, wil je vanavond een keer bij ons in de kamer blijven zitten, in plaats van voor de deur?'

'Oké,' zei ik met een glimlach, terwijl ik hem over zijn bol aaide. Ik liet me tegen de muur tussen hun bedden zakken en sloot mijn ogen, hopend dat zij hetzelfde zouden doen.

Ondanks alle spanning duurde het toch niet lang voordat ze in slaap waren. Louie probeerde zich er nog een tijdje tegen te verzetten, controleerde telkens of ik er nog wel zat, maar binnen een kwartier waren ze allebei onder zeil. Ik bleef nog even zitten, terwijl ik me bezorgd afvroeg hoeveel van dit soort avonden ik nog zou hebben.

Bij het verlaten van de kamer herinnerde ik me weer Ronnies sleutel en omdat ik wist dat ik toch niet zou kunnen slapen, sloop ik de trap af en naar buiten.

Aangekomen bij de garagedeur, de sleutel in mijn hand, dacht ik even na over wat ik binnen aan zou treffen en of ik er iets mee zou willen doen. Dit was immers Ronnies cadeau voor mij, gekocht uit schuldgevoel. Na een korte aarzeling stak ik de sleutel in het slot en draaide hem om. Wat het ook was daarbinnen, ik kon het nog altijd verpatsen, het was nu tenslotte van mij.

Binnen is het pikdonker en vochtig. En het ruikt er vaag naar verf.

Ik laat mijn hand langs de muur glijden totdat ik een lichtknop vind. Het duurt even voordat ik in de gaten heb waarnaar ik sta te kijken.

De vieze oude garage is compleet veranderd. De muren hebben allemaal een andere kleur gekregen: grijs, rood, wit en blauw. Alle troep, die hier altijd gelegen heeft, is opgeruimd en de vloer is aangeveegd en ook geverfd. Helemaal, op een vierkant stuk in het midden na, waar nu een grote blauwe mat ligt.

Overal in de ruimte staan apparaten, en dan dringt het tot me door waarnaar ik sta te kijken: een trainingsruimte. De Kolonel heeft een boksruimte voor me gecreëerd. Vol ongeloof schud ik mijn hoofd en denk terug aan ons laatste gesprek. Blijkbaar is hij er oprecht van overtuigd dat dit de oplossing is: iets, om tegenaan te slaan. Nou, tenzij de bokszak er net zo uitziet als hij, gaat dat echt niet gebeuren.

Ik loop van de ene naar de andere hoek, om te bekijken wat hij overal neergezet heeft. Niet alles is nieuw, maar veel wel. Er hangt een enorme bokszak aan dikke kettingen, ik zie een springtouw, gewichten en een kleine ronde boksbal, met aan weerszijden een dik elastiek, waarmee hij aan zowel het plafond als aan de vloer vastzit. Als ik er tegenaan sla, schiet de bal weg, om even later weer terug te veren, midden in mijn gezicht.

Ik wrijf over mijn neus en werp een snelle blik over mijn schouder, toch bang dat iemand dit misschien gezien heeft. Daarna sla ik opnieuw tegen de bal, dit keer iets zachter, en kijk toe hoe het elastiek ervoor zorgt dat de bal heen en weer beweegt.

Met een nog altijd pijnlijke neus wend ik me nu tot de grote bokszak, ervan overtuigd dat die me geen pijn zou kunnen doen. De zak is enorm, bijna net zo groot als ikzelf, en als ik hem van me afduw, hoor ik de kettingen kraken. De zak zwaait naar achteren en wanneer hij weer naar voren komt, haal ik uit met mijn rechtervuist. Stekende pijn schiet door mijn knokkels, via mijn pols naar de rest van mijn arm. Ik vloek en struikel achteruit, weg van de zak, terwijl de pijn in mijn arm het probeert te winnen van de pijn in mijn neus.

'Daar heb je dan ook handschoenen voor,' hoor ik een stem achter me.

Ik draai me om en zie Ronnie in de deuropening staan.

'Anders breek je je hand straks nog.'

'Je meent het?' kreun ik, terwijl ik mijn hand onder mijn oksel stop, in een poging de pijn te verminderen. Ik heb niet genoeg coördinatie om ook een hand naar mijn neus te brengen.

'Nou, wat vind je ervan?' vraagt hij, terwijl hij naar binnen komt. 'Is het wat?'

Hij blijft voor me staan en ik staar hem aan, terwijl hij de nog altijd zacht heen en weer zwaaiende zak tegenhoudt.

'Is *wat* wat?'

'Je trainingsruimte. Ik heb er weken aan gewerkt.'

'Nou, da's verspilde tijd dan. Ik wil dit niet. Ik ben helemaal niet geïnteresseerd in boksen.'

Ik duw de zak tegen hem aan en loop naar de deur.

'Dat is anders niet wat je eerder zei.'

Ik stop en kijk niet begrijpend achterom.

'Hoe bedoel je?'

'Toen we het eerder een keer over boksen hadden. Toen leek je juist behoorlijk geïnteresseerd.'

Geïrriteerd schud ik mijn hoofd, niet in staat om zijn opmerking te negeren. 'Je lult echt uit je nek, weet je dat?'

'Ik dacht het toch niet, Bill. Toen we het er eerder een keer over hadden, zei je dat je maar wat graag wilde boksen, als dat zou betekenen dat je dan met mij zou kunnen sparren.'

Ik begin te lachen. 'Ja, net alsof daar kans op is.'

'Absoluut,' antwoordt hij, zijn gezichtsuitdrukking bloedserieus.

Ik kijk toe hoe hij langzaam naar een metalen kist in de hoek loopt. Hoezeer ik me ook om wil draaien om weg te lopen, ik moet wel blijven.

Na een tijdje draait hij zich weer om, met in zijn handen iets wat lijkt op een enorm bruin leren kussen.

'Dit is het, vriend. Het moment, waarop je al jaren gewacht hebt. Jouw kans om mij, met mijn toestemming, te slaan.'

Verbijsterd kijk ik hem aan. Maar voordat ik ook maar iets kan zeggen, heeft hij het kussen al boven zijn hoofd getild. Hij steekt zijn hoofd door een gat en trekt het geheel over zijn borst naar beneden, totdat zijn hele bovenlichaam bedekt is. Hij ziet eruit als een komische sumoworstelaar.

'Dit,' zegt hij, terwijl hij moet glimlachen om de verwarde uitdrukking op mijn gezicht, 'is een bodyprotector. De beste vriend van de trainer. En nu ook van jou.'

Hij gooit me een paar handschoenen toe.

'Er is maar één regel, Billy,' blaft hij, terwijl hij zijn eigen handen in grote gewatteerde wanten steekt. 'Alleen slaan waar bescherming zit. Begrepen?'

Ik snap nog steeds niet helemaal wat er allemaal gebeurt. Plotseling heb ik blijkbaar toestemming om de persoon, die ik het liefst van iedereen op de wereld wat aan wil doen, in elkaar te slaan. Nou ja, bijna dan. Maar om wat voor reden dan ook kan ik mezelf er niet toe zetten.

'Ik snap het niet,' zeg ik, terwijl ik mijn hoofd schud. 'Ik snap hier niets van. Jij wilt dus dat ik je sla... dat snap ik nog. Maar wat ik niet begrijp is, waarom?'

'Omdat je boos bent. En dat ben je al zolang ik je ken, je halve leven lang dus.'

'Alsof ik dat zelf niet weet,' mompel ik.

'Ik neem het je ook niet kwalijk. Ik ben ook wel eens boos en ik heb nooit ergens anders dan bij mijn eigen familie hoeven wonen. Ik kan me dus niet voorstellen hoe jij je moet voelen. Maar wat ik wel weet is dat dit mij heel lang geleden goed geholpen heeft. En eerlijk gezegd zou ik ook niet weten wat ik anders nog moet proberen. Ik ben echt ten einde raad. Dus dit is het. Dit is je kans. Zie maar wat je ermee doet.'

'Dus ik moet je echt slaan?'

'Alleen daar, waar ik bescherming draag,' herhaalt hij, terwijl hij bevestigend knikt.

'En wanneer de bel gaat?' vraag ik, ervan overtuigd dat er ergens een addertje onder het gras moest zitten.

'Er is geen bel, Billy. Je mag zo lang blijven slaan als je wilt.'

Ik kan mijn oren niet geloven. Kan niet geloven dat hij echt denkt dat ik uitgeraasd zou zijn voordat hij op de grond zou liggen.

'Je maakt een grapje zeker?'

'Maak jezelf vooral niks wijs, Bill. Ik heb wel ergere tegenstanders gehad dan jij. Kom maar op. Alleen slaan, waar bescherming zit. Verder is alles toegestaan.'

En terwijl hij zijn gehandschoende handen voor zijn gezicht brengt, zet hij zich schrap voor de eerste klap.

# 19

Misschien komt het door de biertjes die ik eerder die avond ge-dronken heb, maar het kost me een hoop moeite om alles tot me te laten doordringen. Al jaren droom ik ervan om Ronnie in elkaar te kunnen slaan en nu staat hij hier voor me en zegt me dat ik het mag doen.

Terwijl ik de tweede bokshandschoen aantrek, probeer ik tegen mezelf te zeggen dat ik moet stoppen met piekeren en gewoon genieten van het moment. Het is per slot van rekening mijn verjaardag.

Ik draai me naar hem om en neem de situatie in me op. Ronnie is normaal gesproken al geen kleine man, maar met die bodyprotector lijkt hij plotseling helemaal reusachtig. Nauwkeurig bekijk ik de mogelijkheden, terwijl ik nadenk over hoe ik het het beste aan kan pakken.

'Kom op, Billy. Laat maar eens zien wat je in huis hebt.' Hij glimlacht, zijn handen nog altijd ter hoogte van zijn kin.

Ik til mijn vuisten op, totdat ze als een soort pistolen in de lucht hangen, klaar om te vuren. Terwijl ik mijn gewicht op mijn voorste voet zet, haal ik uit met mijn rechterhand en sla met volle kracht tegen zijn handschoen aan.

Een heerlijk gevoel.

'Niet slecht,' zegt hij grijnzend. 'Maar je moet je voeten verder uit elkaar zetten. Dan is je balans beter en kun je nog harder slaan.'

Hij begrijpt blijkbaar niet dat dit allemaal niets met techniek te maken heeft. Het gaat hier om wraak. En dus haal ik opnieuw uit en nog een keer, en nog een keer.

Hij vangt de klappen op en schuift daarbij een beetje op naar links, waardoor ik gedwongen word om mee te bewegen.

Terwijl ik mijn blik op zijn handschoenen gevestigd houd, besluit ik om het tempo wat op te voeren, en voor het eerst begin ik nu beide handen te gebruiken. Soms een snelle afwisseling, dan weer volledig ongecontroleerd. Beslist niet mooi om te zien, maar met elke mep voel ik mijn hartslag versnellen en de adrenaline sneller door mijn lichaam pompen. Opnieuw voer ik het tempo op, maar dit keer dwing ik hem heen en weer te bewegen, en ik zie hoe zijn gezicht langzaam rood aan begint te lopen, hoe de zweet druppels zich op zijn voorhoofd vormen.

Al die tijd blijf ik hem strak aankijken. Ik wil dat hij me ziet, ziet hoe heerlijk ik het vind om hem te slaan.

Maar terwijl mijn ritme versnelt, doet dat van hem hetzelfde. Het lijkt wel alsof hij elke klap ziet aankomen of, erger nog, alsof hij bepaalt waar ik hem raak.

In een wanhopige poging om de overhand te krijgen, besluit ik dat het tijd wordt om mijn aandacht meer op zijn lichaam te gaan concentreren. Dus terwijl ik mijn rechterschouder buig en doe alsof ik opnieuw tegen zijn handschoen aan wil slaan, verplaats ik mijn gewicht en sla hem met links vol in de nieren.

Zodra mijn vuist in aanraking met zijn bodyprotector komt, zie ik voor het eerst iets van verbazing op zijn gezicht. En terwijl hij achteruit struikelt, in een poging om zijn evenwicht te bewaren, volg ik alweer met een rechtse tegen de andere kant van zijn lichaam.

Even denk ik dat hij onderuit zou gaan, maar hij blijkt er eerder sterker uit te komen. Ondanks het zweet dat van zijn gezicht stroomt, kan hij een glimlach niet onderdrukken.

'Goed gedaan, Bill, heel goed gedaan. Die zag ik niet aankomen. Kom op. Niet stoppen nu. Laat maar zien wat je kan!'

Meer aanmoediging heb ik niet nodig en dus vecht ik verder.

Met mijn kin op mijn borst bedelf ik zijn lichaam onder een serie linkse en rechtse uithalen. Hij gromt en kreunt, zijn ellebogen tegen zijn borst aan en zijn handschoenen voor zijn gezicht, maar hij lijkt er zeker nog geen genoeg van te hebben. Hij staat daar maar en incasseert de klappen.

Maar hij is niet de enige die pijn lijdt. Mijn ademhaling is snel en onregelmatig, maar ik denk niet aan stoppen. Ik voel hoe de woede zich een weg naar mijn vuisten baant en het gevoel is zo overweldigend, dat het niet meer alleen de Kolonel is, die ik sla. Het zijn zoveel mensen. Al die maatschappelijk werkers die me in de steek gelaten hebben, de leraren die me uitgelachen hebben, de klootzakken die altijd zoveel beloofd hebben, voordat ze weer naar een andere baan vertrekken.

Gezichten flitsen voor mijn ogen voorbij. En bij elk gezicht hoort een incident, een herinnering, een moment waarop ze me in de steek gelaten hebben. Elke klap die ik uitdeel, is wraak, mijn kans om hen te vertellen dat ik niet vergeten ben wat ze gedaan hebben.

Maar naarmate de klappen toenemen en de gezichten veranderen, blijft één persoon steeds terugkomen, hoe vaak ik hem ook sla. Shaun.

Ik mep, beuk en duw, maar hoeveel klappen ik ook uitdeel, ik raak zijn gezicht maar niet kwijt, kan de klappen die hij mij gegeven heeft, niet vergeten.

Mijn vuisten slaan maar door en mijn armen zijn helemaal lam, maar ik kan gewoon niet stoppen. Niet, zolang hij nog in mijn hoofd zit. En dus blijf ik maar slaan, totdat mijn longen in brand staan. Het wordt steeds moeilijker om mijn evenwicht te bewaren, ik zwaai vervaarlijk heen en weer en ben op een gegeven moment bang dat ik zal vallen. Maar ik sta het mezelf niet toe. Niet, voordat zijn gezicht uit mijn hoofd verdwenen is.

Mijn tempo zakt in, de klappen landen steeds lager op Ronnies bodyprotector. De meppen worden mepjes en ik kan bijna niets meer zien, zoveel zweet loopt er in mijn ogen. Ik heb geen idee hoe lang ik daar al zo sta. Het enige wat ik nog weet, is dat de Kolonel daar nog steeds voor me staat en alle klappen incasseert. Zijn ademhaling is nu net zo snel als die van mij en zijn gezicht ongezond rood, maar nog altijd blijft hij me uitdagen, en met Shauns gezicht voor ogen heb ik geen andere keus dan doorgaan. Op dat moment verandert echter alles. Mijn knieën lijken het te begeven en ik val voorover. En al die tijd zie ik hem nog steeds, lachend, grijnzend en schreeuwend, en terwijl ik tegen de Kolonel aan tuimel, moet ik nog een laatste klap uitdelen, in de valse hoop hem daarmee voorgoed van mijn netvlies te verwijderen. De klap landt op Rons rechterhand en glijdt dan via zijn arm naar zijn rug. Mijn andere arm volgt en voordat ik het weet hang ik als een slappe vaatdoek in zijn armen, happend naar adem.

Waarom hij het doet, weet ik niet, of het nu uit genegenheid is of enkel om me overeind te houden, maar ik voel hoe hij zijn armen rond mijn middel slaat. Maar wat ik wel weet is dat ik, voor het eerst in acht jaar, hem niet meteen probeer weg te duwen.

# 20

Midden in de nacht wakker worden is iets, waaraan ik gewend ben. Maar midden in de nacht wakker worden en je armen en benen bijna niet meer kunnen bewegen, is een geheel nieuwe sensatie. Ik voel me alsof er iemand mijn kamer binnengeslopen is en me op mijn matras vastgepind heeft, terwijl ik lag te slapen. Kreunend pak ik de rand van mijn bed en trek mezelf op mijn zij, waarbij elk deel van mijn lichaam luid protesteert. Even slaat de schrik me om het hart, denk ik dat ik een beroerte of zo gehad heb, totdat ik me realiseer dat zoiets niet echt vaak voorkomt bij mensen van vijftien jaar en één dag. Ik beweeg mijn arm, in een poging het bloed weer te laten stromen, en vraag me af hoeveel klappen ik wel niet uitgedeeld had, om me zo stijf en beurs te voelen.

Het had een goede tien minuten geduurd voordat ik weer over-eind had kunnen komen, nadat ik tegen Ron aan gevallen was, en ook hij was niet meer in al te beste vorm geweest. Toch had hij me nog kunnen helpen met mijn handschoenen, voordat hij me opgedragen had om op de mat te gaan liggen met mijn handen boven mijn hoofd. En terwijl ik zo langzaam weer op adem lag te komen, voelde ik me opvallend levendig.

Het was heet in de garage, ondanks het late tijdstip, en grijnzend keek ik toe hoe Ronnie met moeite zijn bodyprotector weer over zijn hoofd trok. Daarbij kwam zijn T-shirt mee omhoog, waardoor zijn rug ontbloot werd. Gezien de kleur van zijn rauw uitziende huid had hij blijkbaar toch nog heel wat klappen ge-voeld, ondanks de bescherming, maar nog meer verbaasde ik me over de vele littekens op zijn rug. Rijen van lange grillige lijnen, bijna van schouder tot schouder, die er, hoewel vervaagd, nog altijd grimmig uitzagen.

Met een klap viel de bodyprotector op de mat. Ronnie zag waar ik naar keek en trok snel, met enige moeite, zijn shirt weer naar beneden. Terwijl hij het zweet van zijn voorhoofd veegde, liet hij zich naast mij op de mat vallen, waarna ook hij zijn armen boven zijn hoofd strekte. Het was waarschijnlijk geen gezicht, hoe we daar allebei voor pampus lagen.

'Nou, daar gaat het hart wel van kloppen,' kreunde hij, terwijl hij met zijn mouwen over zijn gezicht wreef. 'Voelt goed, of niet soms?'

'Ja hoor.'

'Hoe gaat het met je handen? Die zullen wel een beetje beurs zijn morgen. Wanneer ik geweten had dat je zo lang op me in zou blijven beuken, had ik ze van te voren eerst nog even ingetapet.'

'Het gaat wel. Gek genoeg doet het totaal geen pijn wanneer ik jou sla,' loog ik.

'Ja, vreemd. Wie had dat nou gedacht?'

Ronnie wachtte even voordat hij de volgende vraag stelde, en ik hoorde de spanning in zijn stem.

'Dus, wat vind je ervan? Van deze trainingsruimte? Hij is van jou. Mijn cadeau voor jou.'

De vraag voelde beladen, en hoewel ik hem net meer dan tien minuten lang in elkaar had mogen slaan, verdiende hij in mijn ogen nog steeds niet al te veel lof.

'Best leuk. Kan niet zeggen dat dit is wat ik graag wilde, maar het heeft zeker z'n voordelen, denk ik.'

Allebei zwegen we, terwijl we daar zo op adem lagen te komen, maar het voelde ongemakkelijk en dus besloot ik om de stilte te verbreken.

'Had je er veel tijd voor nodig? Om dit allemaal voor elkaar te krijgen?'

Hij leek even verbaasd te zijn over de vraag, maar maakte toen meteen gebruik van deze kans op een gesprek.

'Een week of vijf, denk ik. Ik wilde het al een hele tijd, maar was bang dat je het niks zou vinden.'

Mijn enige antwoord daarop was een verontwaardigd gesnuif. Ik wilde hem duidelijk maken dat hij gelijk had.

'Maar toen kwam jouw beoordeling en, om eerlijk te zijn, na wat daar allemaal gebeurd was, en met alles wat we daar van jou verlangden – nou ja, toen besefte ik dat je dit nu meer dan ooit nodig zou hebben. Dat je iets nodig had waar je je af zou kunnen reageren. Het was of dit of toekijken hoe je zou exploderen… En ik had geen zin om dat soort troep op te moeten ruimen.'

Ik liet de woorden op me inwerken. Of ik het wilde of niet, ik moest toegeven dat hij er heel veel werk ingestopt had.

'En hoe kom je aan al die spullen? Heb je eerst de juwelen van je vrouw verpatst of zo?'

'Niet helemaal.' Hij begon te lachen. 'Ik had nog heel veel troep thuis in de garage liggen, waarvan ik besloot om het eindelijk maar eens allemaal op eBay te zetten, zodat ik het geld voor iets nuttigs zou kunnen gebruiken. Sommige dingen zijn nieuw – de speedball, de springtouwen – maar het meeste is tweedehands of gerestaureerd. Sommige spullen waren eerst van mijn zoons. Maar die zijn inmiddels het huis uit en dan is het ook onzin om het allemaal maar te houden.' Zijn stem stierf even weg, voordat hij zichzelf herpakte en overeind kwam.

Ik keek rond in de garage, probeerde erachter te komen wat nieuw was en wat van zijn zoons geweest zou zijn, maar eerlijk gezegd kon het me niet eens zoveel schelen. Ik kon amper beseffen dat het allemaal van mij was. Het was een gevoel, waaraan ik niet gewend was.

'Luister, Bill. Ik ga je echt niet dwingen om van deze plek gebruik te maken. Die keus is helemaal aan jou. Maar het is van jou en van niemand anders. Er zijn twee sleutels. Die jij nu hebt en een reservesleutel, die in het tehuis blijft, voor het geval je die van jou kwijtraakt. Wanneer je er alleen gebruik van wilt maken, is dat natuurlijk prima, maar ik doe graag mee. Hoewel,' voegde hij er kreunend aan toe, terwijl hij over zijn buik wreef, 'ik eerst misschien een dag of twee nodig heb om weer wat aan te sterken.'

Hij ging staan en waggelde naar de deur.

'Blijf niet te lang hangen hier, anders vat je nog kou. O, en wanneer je verstandig bent, doe je nog een coolingdown, anders heb je morgen vreselijke spierpijn.'

Uiteraard negeerde ik compleet wat hij zei en bleef nog een paar minuten liggen, voordat ik de garage afsloot en terug naar het tehuis wankelde. Even dacht ik eraan om te gaan douchen, maar uiteindelijk gaf ik er toch de voorkeur aan om meteen mijn bed in te rollen.

Toch kostte het me nog een tijdje om in slaap te vallen, hoewel misschien niet zo lang als anders, en toen ik wakker werd, stijf als een plank, zag ik op mijn telefoon dat er vier uur verstreken waren. Ook dit was ongebruikelijk, dat ik zo lang achter elkaar sliep.

Pas na een goed half uur had ik weer wat gevoel in mijn armen, maar ondanks al het wrijven en strekken bleven ze pijn doen.

Ik bleef maar denken aan de trainingsruimte, en het werk dat het gekost moest hebben om dat allemaal voor elkaar te krijgen, en ik snapte niet waar Ron de tijd vandaan gehaald had. Normaal gesproken was hij elke minuut van zijn dienst bezig met het afblaffen van de andere klootzakken en tehuiskinderen in het tehuis, dus in die tijd had hij het niet kunnen doen. Het enige wat ik kon verzinnen was dat hij uit zijn nek lulde en dat iemand anders al het werk gedaan had, of dat hij het in zijn vrije tijd gedaan had.

Ik woog de twee opties tegen elkaar af in mijn hoofd. Net doen alsof hij het zelf gedaan had terwijl dat niet zo was, was natuurlijk een mogelijkheid, maar ik kon het gewoon niet geloven. Ik had de trots in zijn ogen gezien, toen hij erover gesproken had.

Geïrriteerd schudde ik mijn hoofd. Wat maakte het uit dat hij misschien zijn vrije tijd gebruikt had om wat muren te schilderen? Dat was dan zijn eigen keus, en bovendien deed hij het toch alleen maar uit schuldgevoel.

Nu ik wakker ben, blijf ik nog een paar minuten zitten peinzen, totdat plotseling de deur langzaam geopend werd. Mijn pijnlijke lijf vergetend schiet ik overeind, klaar om wie het ook mag zijn een klap te verkopen, maar dan zie ik het betraande gezicht van Louie.
'Hé, knul,' fluister ik, terwijl ik hem over zijn bol aai.
'Ik werd wakker en je was er niet,' huilt hij. 'Ik wil daar vannacht niet meer blijven. Mag ik bij jou slapen?'
Een antwoord is overbodig en meteen laat hij zich op mijn matras vallen en kruipt onder het dekbed.
Nadat ik voorzichtig over hem heen geklommen en zelf ook onder de deken gekropen ben, voel ik hoe al mijn pijntjes verdwijnen, terwijl hij zich dichter tegen me aan nestelt.
Binnen enkele seconden is hij in slaap, wat mij tegelijkertijd blij en verdrietig stemt. Het was fijn om te beseffen dat hij me nodig had, maar de wetenschap dat hij het binnenkort met Annie moet doen is vreselijk.
Ik duw de gedachte zo ver mogelijk weg en val uiteindelijk, hoe hard ik er ook tegen vecht, in slaap.

# 21

Tegen de tijd dat ik wakker word, schijnt de zon al fel door de gordijnen naar binnen en zijn mijn armen alleen nog maar meer gaan protesteren tegen de afstraffing die ze de avond ervoor gekregen hebben.
Ik probeer op mijn rug te rollen om me uit te strekken, maar het lukt niet. Er ligt iets tegen me aan van achteren en met

Louie nog altijd diep in slaap tegen mijn borst, kan ik geen kant
op.
Ik strek mijn nek zover als mijn pijnlijke spieren dat toelaten, om
te kijken wat zich achter mijn rug bevond, maar het enige wat ik
kan zien is een rustig op en neer bewegende bobbel onder de
deken.
Met uiterste krachtinspanning kom ik overeind, til het dekbed
op en zie Lizzie liggen, opgerold als een balletje. Het lijkt wel
alsof er een spiegel tussen haar en Louie neergezet is. Ik heb
geen idee wanneer dit gebeurd is, ben er in elk geval niet wakker van geworden, en voel me meteen schuldig omdat ze me
blijkbaar nodig had midden in de nacht en ik dit niet eens heb
meegekregen.
Even blijf ik zo op het bed naar ze zitten kijken, jaloers op hun
vermogen om te slapen. De enige keer dat ik recentelijk nog een
beetje rust had kunnen vinden was tijdens die nacht in het huis
van Jan en Grant geweest. Binnenkort moest ik maar weer eens
een nieuwe poging gaan wagen.
De tweeling snurkt door, het is inmiddels al half negen geweest.
Op zondag nemen de klootzakken altijd wat meer tijd om
iedereen wakker te maken, blij dat ze zelf wat langer kunnen
blijven liggen.
De stilte wordt verbroken door het zoemen van mijn telefoon,
hoewel ik geen idee heb wie mij op dit tijdstip zou willen
sms'en.

*Al wkkr? Xje op vste plk, 11.30 Dx*

Ik kan een grijns niet onderdrukken bij dit onverwacht prettige
vooruitzicht.
En dus sta ik op en ga op zoek naar iets om aan te trekken – bij
voorkeur kledingstukken die gedurende de afgelopen zes maanden nog gewassen zijn.
Tot mijn verbazing blijkt echter alles wat ik onder mijn neus
houd, dezelfde verschaalde geur te hebben. Er moest toch wel

iets op de vloer te vinden zijn, wat nog niet gedragen was... Pas als ik mijn arm optil en onder mijn oksels ruik, dringt het tot me door dat het probleem misschien niet zozeer de kleding is, maar eerder mijn ongewassen lichaam.

Ik trek een handdoek van de haak aan de deur, loop richting de douche. Wanneer ik mezelf eenmaal gewassen heb, kan ik de geur van mijn kleding wel verdoezelen met een flinke dosis deodorant. Glimlachend trek ik de deur van de slaapkamer achter me dicht.

Wat is er met me aan de hand?

Op weg naar ons bankje maak ik me ongerust over het feit dat ik veel te laat ben. Dankzij de staat van mijn lichaam heeft alles drie keer zo lang geduurd als anders. En toen mijn deodorant ook nog eens onvindbaar bleek, was ik helemaal achter geraakt op schema.

Bij de rondweg aangekomen probeer ik het op een holletje te zetten, maar de poging is slechts van korte duur. Elke buiging van mijn ellebogen of knieën zendt een nieuwe pijnscheut naar mijn hersenen.

Bij de laatste hoek voor het veldje constateer ik dat ik al bijna een half uur te laat ben en Daisy kennende, heeft ze waarschijnlijk niet op me gewacht. Geduld is niet haar sterkste kant.

Maar tot mijn opluchting word ik begroet door een wolk van sigarettenrook boven het bankje. Daisy is er nog en, te zien aan de grijns op haar gezicht, nog in een goed humeur ook.

'Wat heb jij uitgespookt gisteravond?' vraagt ze, terwijl ze haar lachen bijna niet in kan houden.

'Niets. Hoezo?' antwoord ik verontwaardigd.

'Omdat je loopt alsof je in je broek gepoept hebt... En wat ruik ik toch? Bill, heb je jezelf met toiletreiniger gewassen, of zo?'

'Moest ik daarvoor komen, zodat je me uit kon lachen?' zeg ik, terwijl ik me afvraag of ik nog wel zin heb om naast haar te gaan zitten.

'Het spijt me,' zegt ze grinnikend. 'Maar ik heb gewoon nog nooit iemand zo zien lopen… behalve dan als ze aambeien hebben of zo.' En opnieuw komt ze niet meer bij, haar schouders schokken onder haar oversized T-shirt.

Ik word steeds kwader, hap onwillekeurig toch toe, en voordat ik het weet rollen de woorden al uit mijn mond.

'Jij moet wat zeggen. Hoe heb jij je vanochtend aangekleed, in het donker? Zo te zien heb je alweer het shirt van je vader aan. Wat is dat eigenlijk voor iemand? Een reus of zo?'

Ik ben nog niet uitgesproken, of de glimlach is al van Daisy's gezicht verdwenen. Ze stopt haar sigaret terug in haar mond en steekt hem opnieuw aan, waarna ze diep inhaleert.

'Sorry, Daisy,' mompel ik. 'Ik dacht niet na.'

'Is al goed,' zegt ze, haar gezicht onbewogen. 'Ik vroeg erom, dus laat maar zitten. Maar goed, wat *is* er met je gebeurd gisteravond? Je ziet eruit alsof je pijn hebt.'

'Het gaat wel. Het liep alleen niet allemaal zoals ik verwacht had.'

En dan vertel ik haar het hele verhaal, van mijn gesprek met de tweeling tot aan de trainingsruimte en mijn 'gevecht' met Ron, en mijn nachtelijke bezoekers.

'Klinkt alsof je dus toch nog een echte verjaardag gehad hebt,' zegt ze grijnzend. 'En hoe zit dat nou met die Ronnie? Volgens mij is hij in het echt heel anders dan jij denkt.'

'Hoe bedoel je?'

'Nou, je hebt het altijd over hem, over wat een nachtmerrie hij is en hoe slecht hij je behandelt en zo. En vervolgens verpatst hij de helft van zijn bezittingen om van jou de volgende wereld-kampioen boksen te maken! Klinkt echt als een nachtmerrie, Bill, een vreselijke vent.'

Ze zegt het met zoveel sarcasme, dat ik me meteen weer aan-gevallen voel.

'Je hebt geen idee hoe hij is, Daisy. Hij is vreselijk manipula-tief. Je krijgt nooit iets voor niets bij Ron. Zo zit hij niet in elkaar.'

'Volgens mij moet je gewoon eens wat minder hard voor hem

zijn. Ik weet dat hij vervelend is, dat maken al die verhalen over hem wel duidelijk. Maar los van de tweeling, wie kent jou nu al het langst? Wie was er altijd voor je, zonder uitzondering, of je dat nu wilde of niet?'

'Geen idee,' mompel ik, terwijl ik als een boos kind tegen de bank aan trap. 'De maatschappelijk werker, denk ik.'

'Billy!' roept ze ongeduldig. 'Dat is onzin en dat weet je donders goed. Geef het nu maar gewoon toe. Je krijgt er heus niks van als je Ronnies naam noemt, hoor.'

'Ja, ja.' Ik ben echt niet van plan om het te zeggen. 'Heb je zin om wat te doen? Of was je alleen maar van plan mij de hele dag in de zeik te nemen?'

Daisy stoot me met haar schouder aan, haar poging om de spanning te breken.

'Nee, dat was het wel. Jij bent ook zo gemakkelijk op de kast te jagen. Maar goed, ik heb iets voor je.'

Verrast kijk ik op. 'O? Wat dan?'

'Ogen dicht en hand open.'

Wantrouwend kijk ik haar aan. 'Ik ben geen kleuter meer.'

'Dat weet ik. Maar wanneer je het cadeautje wilt, moet je doen wat ik zeg.'

Fronsend gehoorzaam ik en voel hoe ze iets in mijn handpalm laat vallen.

'Wat is dit?' vraag ik, nadat ik mijn ogen weer geopend heb en het kleine kastanjebruine doosje zie.

'Waar lijkt het op?'

'Het lijkt op een doosje.'

'Soms is het bijna griezelig, Bill, ik zou er gewoon bang van worden.'

'Het is een sieradendoosje, of niet?' Ik hoor de angst in mijn stem.

'Hangt ervan af wat erin zit, of niet?'

'Maar wat *zit* erin?'

'Wat dacht je ervan om het open te maken, idioot, dan kom je er vanzelf achter. En kijk niet zo bang. Het is echt niet wat je denkt dat het is. Maak jezelf vooral niets wijs.'

Ik kijk haar in de ogen, terwijl ik het doosje open. Onwillekeurig ben ik bang dat ze me weer in de maling zit te nemen. En als dat zo is, dan ben ik weg.

Maar ze heeft gelijk. Het is niet wat ik dacht. Sterker nog, even ben ik teleurgesteld, omdat in het doosje alleen maar een stukje groen plastic blijkt te zitten.

Fronsend breng ik het dichter naar mijn gezicht om het beter te kunnen bekijken. 'Wat is dit?'

'Haal het er maar uit, dan zie je het vanzelf.'

Ik wurm mijn vingers in het doosje, trek het stukje plastic eruit en laat het in mijn hand vallen.

Het is een ster. Een groene plastic ster. En even ben ik sprakeloos.

'Ik dacht dat dit misschien precies was wat je nodig had. Vierentwintig karaats plastic, weet je. Niet zomaar het eerste het beste. Gegarandeerd glow-in-the-dark!'

'Bedankt.' Nu glimlach ik, verbaasd dat ze zich ons gesprek herinnerd heeft.

'Maar verlies hem niet, oké? Ik kan me er niet nog één veroorloven.'

'Ik ga hem nog nodig hebben. Denk namelijk niet dat ik nog veel zal slapen, wanneer de tweeling eenmaal vertrokken is.'

'Zo moet je niet denken. Er kan nog van alles gebeuren en die Annie klinkt niet echt stabiel. Er is waarschijnlijk niet echt veel nodig om de beslissing alsnog terug te draaien.'

'Weet je waar ik nog het meest bang voor ben?' beken ik, terwijl ik op de rugleuning van de bank ga zitten.

Daisy schudt haar hoofd.

'Dat ze mij gaan vergeten.'

'Doe niet zo stom, Bill. Dat gaat echt nooit gebeuren. Je bent hun broer, je hebt ze praktisch opgevoed.'

'Maar jij hebt niet gezien hoe ze zich gedragen bij haar. Daar kan ik niet tegenop. Ze zien haar maar één keer per week, maar dan ben ik ook meteen onzichtbaar voor ze. Dus hoe gaat dat straks als ze bij haar wonen?'

'Luister,' zegt ze, terwijl ze naast me komt zitten. 'Iemand die ik

ken vertelde me eens dat je dit soort absurde gedachten moet be-
strijden met logica. Om jezelf te bewijzen dat wat je daar denkt
onzin is.'
Niet begrijpend kijk ik haar aan, snap niet waar ze het over heeft.
'Ik meen het, Bill. Ik bedoel, wat gebeurde er met de tweeling
toen jij bij dat pleeggezin woonde?'
Ik verstijf bij de gedachte aan Jan en Grant en begin wat aan een
los velletje aan mijn duim te pulken.
'Kom op, Bill. Ik probeer je alleen maar te helpen. Werk een
beetje mee, oké?'
'Wat wil je weten?' blaf ik. 'Er is niets te vertellen!'
'Gewoon, hoe ging de tweeling daarmee om?'
'Het was vreselijk, wat dacht jij? Ze snapten niet waarom ze niet
met me mee mochten. Ze dachten dat ik ze in de steek gelaten
had. Verlaten had, net als Annie. Nadat de klootzakken het ze verteld hadden, bleven ze wel een week huilen, lieten me geen
moment meer alleen, zelfs niet wanneer ik naar de wc moest. Ik
smeekte Ronnie en de maatschappelijk werkers om ons samen te
laten, zei ze dat ik geen pleeggezin hoefde, dat ik de hele boel
kort en klein zou slaan daar, zodat mijn nieuwe familie geen
andere keus zou hebben dan me terug te sturen.'
'En luisterden ze?'
'Nee, natuurlijk niet. Volgens hen was dit de enige optie. Ze
waren ervan overtuigd dat ze nooit een gezin zouden vinden dat
ons alle drie wilde opnemen. Maar de tweeling als een paar was
iets anders. Ze hadden zelfs al wat gevonden voor hen, een gezin
dat hen voor langere tijd in huis wilde nemen.'
'Dat was dan toch juist goed nieuws? Dan zouden ze tenminste
niet alleen achterblijven.'
'Jawel, maar het probleem was Annie. Die had er geen moeite
mee om afstand van mij te doen, maar zodra ze het hoorde van
de tweeling, was alles opeens helemaal anders. Opeens was ze
sober, verscheen ze weer braaf op de bezoekdagen, maakte ze
plannen om ze weer voorgoed mee naar huis te nemen.'
'Waar ik op doel, Bill,' zegt Daisy zacht, 'is wat er gebeurde tussen

de tweeling en jou in de tijd dat jij er niet was. Want van wat jij me verteld hebt, kan ik me niet voorstellen dat ze hun houding naar jou toe veranderden.'

'Natuurlijk gebeurde dat niet,' zeg ik verontwaardigd. 'Er vielen heel wat tranen, maar ze wisten dat het niet mijn eigen keus was om te vertrekken. En ik mocht ze nog elke week zien. Elke zondag mochten ze bij me langskomen.'

'Waarom denk je dan dat het dit keer anders zal zijn? Jullie zijn dus al vaker uit elkaar gehaald en ook toen veranderde er niets. Jullie blijven familie. Probeer er logisch over na te denken. Waarom zou het *dit keer* anders zijn?'

*Omdat ze dit keer* mij *achterlaten. En het verschil is dat Annie hen wil. Jan en Grant wilden mij niet. Niet, toen ze zich eenmaal gerealiseerd hadden wat ik was.*

Maar natuurlijk zeg ik dat niet hardop. In plaats daarvan glimlach ik en probeer haar om de tuin te leiden.

'Je hebt gelijk. Ik snap wat je bedoelt. De vorige keer veranderde er niets, dus dit keer zal dat ook niet gebeuren. Dankjewel.'

Ze schudt haar hoofd en zucht. 'Billy Finn, wat ben je toch een klootzak.'

Ik probeer nog wat te zeggen, maar uiteraard is ze daar niet van gediend.

'Gelukkig maar dat je een vriendin met een plan hebt. En met een camera. Tegen de tijd dat ik klaar ben, is er geen enkele kans meer dat de tweeling ooit zal vergeten dat ze nog een grote broer hebben.'

Dat is het. Einde discussie. En voor het eerst tijdens ons gesprek moet ik haar wel geloven.

# 22

Het plan blijkt inderdaad wel goed te zijn. Geniaal zelfs, volgens Ronnie.

'Een levensverhaalboek is een geweldig idee,' zegt hij enthousiast, terwijl hij de handschoen over mijn vuist trekt. 'Ik heb er al vaker gebruik van gemaakt, wanneer kinderen vertrokken. Het geeft ze iets om op terug te kijken. Laat ze zien wie ze zijn en waar ze vandaan komen.'

'Maar dit wordt geen boek, hè? Daisy wil alles op film vastleggen.'

'Boek, film... dat maakt niet uit. Eigenlijk is haar idee zelfs beter, omdat de tweeling dan alleen de dvd maar hoeft af te spelen wanneer ze jou willen zien. En ik weet zeker dat ze liever jouw gezicht zien en je stem horen, dan enkel een brief van je lezen.'

Ik snap wat hij bedoelt en vind het ook niet erg om voor de camera te moeten praten, al heb ik nog geen idee wat ik moet gaan zeggen. Maar waar ik wel moeite mee heb, is met het feit dat Daisy ervoor naar het tehuis zou komen. Dat ze ziet waar ik woon. Ik besef echter dat het niet op een andere manier gedaan kan worden. Ze wil mij filmen, terwijl ik daar rondloop, zodat de tweeling kan zien waar ze ooit sliepen, waar ze aten en speelden. Alleen zou ik dat niet voor elkaar krijgen. En ik wil ook niemand anders achter de camera dan haar.

'Maar wat moet ik dan zeggen?' vraag ik, terwijl hij zijn bodyprotector over zijn hoofd trekt. 'Ik zit daar straks natuurlijk volledig voor lul.'

'Weet je wat, Bill? Ik zou er gewoon niet te veel over nadenken. Zeg gewoon wat er in je opkomt. Oké, ben je klaar voor de tweede ronde?'

Vol verwachting sla ik mijn handschoenen tegen elkaar, klaar om mijn frustraties weer af te reageren op zijn ribben. Dit is de derde keer dat hij met me wil sparren en, hoe moeilijk ik het ook vind om toe te geven, ik begin het echt leuk te vinden. Uiteraard neemt hij het allemaal weer veel te serieus, met zijn opmerkingen van 'breder gaan staan' en 'door het stootkussen heen slaan', maar eerlijk gezegd zie of hoor ik hem niet eens meer, wanneer ik eenmaal op dreef ben. Dan kan ik me alleen nog maar concentreren op de bodyprotector en het bevredigende gevoel dat ik krijg, wanneer ik daar tegenaan sla. Ik heb zo veel herinneringen te verwerken en elke klap voelt als een soort wraak. Het enige gezicht dat ik echter niet kwijt kan raken is dat van Shaun, maar dat maakt me juist alleen maar fanatieker. Hoeveel klappen ik ook uitdeel, of hoe hard ik ook sla, zijn grijnzende gezicht wil maar niet verdwijnen en naarmate de sessies vorderen, begin ik me wanhopig af te vragen of ik hem ooit nog uit mijn hoofd zou krijgen.

Terwijl de minuten voorbijvliegen, voel ik mijn lichaam steeds vermoeider worden en lijkt ook de Kolonel langzaam te verslappen. Maar vragen of ik wil stoppen doet hij nooit, dat moet ik hem nageven. Sterker nog, soms krijg ik bijna de indruk dat hij weet wanneer ik aan Shaun denk, dan moedigt hij me juist nog meer aan, blaft hij dat ik door moet gaan.

Ik bokste totdat ik niet meer in staat was om mijn handschoenen hoger dan mijn middel te tillen. Terwijl ik dubbel klapte en probeerde om Shaun uit mijn gedachten te bannen, deed de Kolonel wankelend een paar stappen naar achteren, trekkend aan de bodyprotector alsof die in brand stond.

'Allemensen, Bill, je beukt als een muilezel!'

Wanneer ik niet zo buiten adem geweest was, had ik gelachen. 'Ik dacht dat muilezels trapten?'

'Trappen, beuken, wat maakt het uit? Het resultaat is hetzelfde.'

Even waren we stil, stonden we te hijgen als een paar astmatische oude kerels die te veel gerookt hebben.

'Dus je vindt het wel leuk?' vroeg hij uiteindelijk, toen hij weer een beetje op adem was.

'Weet niet of 'leuk' het juiste woord is. Maar het is wel oké.'

'Het is heel apart om te zien. Zodra je begint te boksen lijkt het wel alsof Billy opeens verdwenen is. Ik bedoel, waar denk je allemaal aan, wanneer je zo bezig bent?'

Het duizelde me bij de gedachte aan Shaun en aan de schade die hij zou kunnen aanrichten, zodra ik hem zou loslaten uit mijn hoofd. *Nog niet, nog niet,* zei ik tegen mezelf. Laat hem thuis bij Annie. Annie, Shaun en hun flessen whisky. Wanneer ik dat allemaal in mijn hoofd hield, was er niets aan de hand.

'Nergens aan, eigenlijk. Het is zoals jij al zei, mijn hoofd wordt leeg en ik concentreer me op de techniek.'

Ronnie glimlachte, maar of hij me geloofde, wist ik niet.

'Ik ben in elk geval blij dat je er wat aan lijkt te hebben. Dat betekent veel voor me, echt. Luister, ik moet nu echt terug naar het tehuis. Er ligt nog wat papierwerk te wachten en er moet nog gestofzuigd worden, voordat die vriendin van je straks op de stoep staat.' Hij maakte een paar spottende kusgeluiden, terwijl hij naar de deur liep.

Wanneer ik er de energie nog voor gehad had, dan had ik hem wat aangedaan.


De lijst met dingen die nog gedaan moesten worden was eindeloos en over minder dan een uur zou Daisy er al zijn. Die ochtend, voor het boksen, had ik een poging gedaan met de wasmachine en droger en terwijl ik mijn neus in de schone kleren drukte, kon ik niet anders dan trots zijn op mezelf. Er was niets gekrompen of plotseling roze geworden. Goed, het was allemaal nogal gekreukt, maar strijken vertikte ik, maakte niet uit wie er op bezoek kwam.

Maar nu rees het volgende probleem: wat te doen met de kleren? Wanneer ze smerig waren had ik er geen moeite mee om ze op de grond te gooien, maar nu ze schoon waren leek me dat toch een beetje zonde. Voor het eerst had ik spijt dat ik mijn kast gemold had, waardoor ik nu geen andere keus had dan de kleren op te vouwen en op een zo keurig mogelijke stapel in de vensterbank te leggen, om vervolgens de gordijnen te sluiten. Zo was tenminste ook meteen het dichtgetimmerde raam aan het uitzicht onttrokken.

Nadat ik mijn kamer min of meer opgeruimd had, nam ik nog een douche, waarbij ik ervoor zorgde dat ik niet meer zoveel zeep gebruikte. Ik had er geen behoefte aan om opnieuw door Daisy uitgelachen te worden.

Toen ik aangekleed was, restte er nog maar één ding en dat was een hartig woordje met de rest van de tehuiskinderen. Ik moest ze vertellen dat er iemand langs zou komen en dat, als ze het me moeilijk zouden maken, ze daar later spijt van zouden krijgen. Vreemd genoeg leken ze me allemaal meteen te begrijpen. Sterker nog, de rest van de dag lieten ze zich amper nog zien. Perfect.

Jammer alleen, dat Ronnie hun voorbeeld niet volgt. Hij lijkt nog wel meer opgewonden dan de tweeling en ik samen, en hoewel zij die middag naar Annie vertrekken, geldt dat helaas niet voor de Kolonel.

Met een glimlach van oor tot oor stelt hij zichzelf aan Daisy voor en terwijl ik haar zo snel mogelijk probeer mee te trekken, heeft hij nog het gore lef om naar me te knipogen en zijn duim op te steken. Eikel. Alsof het mij ook maar iets kan schelen wat hij ervan denkt.

Uiteraard vindt de tweeling Daisy helemaal geweldig. Haar gezicht licht op wanneer ze ze ziet en ze laten haar geen moment met rust, overladen haar met vragen.

'Hoe heet jij?'

'Waar woon je?'

'Waar ken je Billy van?'

Nauwkeurig luister ik naar haar antwoorden, in de hoop dat ik iets zou horen, wat ik nog niet weet.

Maar als Louie begint met 'Ben jij het vriendinnetje van Billy?' weet ik dat het tijd wordt om verder te gaan, maar niet voordat Daisy geantwoord heeft: 'Mocht hij willen!'

'Ik dacht dat jullie je klaar moesten maken voor Annie?' vraag ik.

'Die komt pas over anderhalf uur en we zijn al helemaal klaar,' antwoordt Lizzie.

'Nou, ik denk dat ik hier wel iets heb om die tijd mee door te komen,' zegt Daisy, terwijl ze een dvd uit haar tas pakt.

'*The Princess Bride*,' gilt Lizzie. 'Joepie!'

'Ziet eruit als een meisjesfilm,' moppert Louie, niet onder de indruk.

'Daar vergis je je dan in, Louie,' zegt Daisy. 'Hou je van piraten?' Hij knikt.

'En zwaardgevechten? En reuzen en monsters?'

Louie knikt nu zo snel, dat ik bijna bang word dat zijn hoofd eraf zal vallen.

'In dat geval, mijn vriend,' zegt ze, 'is dit juist een film voor jou. Toe maar, beoordeel zelf maar.'

En voordat ze er erg in heeft, heeft Louie de doos al uit Lizzies handen gegrist en is hij op weg naar de woonkamer.

'Goed,' grinnikt Daisy. 'En dan gaan we nu jou klaarmaken voor je close-up.'

Ik zit en staar naar het rood knipperende lampje voor me.

'Begin maar, Bill,' zegt Daisy zacht.

Ik heb geen idee hoe ik moet beginnen en dus kijk ik om me heen in de kamer, hopend dat het me wat inspiratie geeft.

'Eh, hoi, jongens. Ik ben het, Bill.' Ik hoor zelf hoe stom het klinkt. 'Ik… we… nou ja, deze dvd is voor jullie. We noemen het jullie levensverhaalboek. Behalve dan dat het een film wordt.' Ik zwijg, klaar om er alweer mee te stoppen, maar Daisy maakt een draaiende beweging met haar hand. *Ga door, ga door.*

'We dachten dat jullie die dan mee konden nemen wanneer jullie bij Annie gaan wonen, zodat jullie er altijd naar kunnen kijken, als jullie dat willen. Zodat jullie nooit zullen vergeten waar jullie woonden en jullie mij ook nog altijd kunnen zien. Nou, dit is jullie slaapkamer…'

Daisy draait de camera weg en begint nu de muren te filmen, waardoor ik me meteen een stuk beter voel.

'Dit is nu al acht jaar jullie kamer, vanaf het moment dat we hier aankwamen, hoewel jullie niet altijd in deze bedden geslapen hebben. Eerst stond hier een stapelbed. Weten jullie dat nog? Dat vonden jullie helemaal te gek. Wanneer je bovenin mocht slapen, tenminste. Ronnie liet jullie om de week wisselen, maar toch bleven jullie er bijna elke avond ruzie om maken, zodat Ron het bed uiteindelijk maar weggehaald heeft. Hij vond dat het te veel ellende opleverde.'

Ik glimlach bij de herinnering aan de tranen, toen het stapelbed ingeruild werd voor twee eenpersoonsbedden. Alsof het het einde van de wereld geweest was.

'O, en dit…', lach ik, terwijl ik Daisy wijs op de muur naast mij. 'Dit is jullie kunstgalerij. Toen jullie een jaar of zes waren wilden jullie hier steeds op tekenen. Of dat nu met verf, viltstiften of potloden was. Wat dan ook, jullie smeerden het op de muur. De verzorgers werden er gek van. Eerst probeerden ze er nog overheen te verven, vervolgens werden ze boos en dwongen ze jullie om mee te helpen, als een soort straf of zo. Maar het kon jullie niks schelen, jullie vonden het alleen maar leuk. Uiteindelijk heeft Ronnie de hele muur met schoolbordverf bedekt en kocht hij een enorme emmer krijtjes. Jullie vonden het helemaal geweldig. Soms verdachten we jullie er weleens van dat jullie je expres naar je kamer lieten sturen, alleen maar om te kunnen tekenen.'

Daisy zit grijnzend achter de camera en geeft aan dat ik door moet gaan en nu ik eenmaal lekker op dreef ben, kan ik opeens wel honderd dingen verzinnen die ik wil zeggen.

'Weten jullie nog welke boeken jullie het liefst voorgelezen kregen voor het slapen gaan? Toen jullie kleiner waren, was het dat verhaal over die olifant en die stoute baby. Dat moest ik wel twee jaar lang, elke avond voorlezen, totdat jullie het uiteindelijk beter kenden dan ik. Daarna kwam *Flat Stanley*. Maar toen waren jullie al een beetje ouder en het was ook het eerste boek dat jullie aan mij wilden voorlezen, vooral dat stukje waarin zijn broer hem opblaast met de fietspomp. Wat moesten we daar altijd om lachen. Ik hoop dat jullie bij Annie thuis ook altijd boeken zullen blijven lezen.'

Daisy steekt haar duim omhoog.

'En laat haar vooral niet vergeten om jullie dekbed onder jullie voeten in te stoppen voordat jullie gaan slapen, anders worden jullie voeten veel te koud. Ik liet jullie eerst altijd met sokken aan slapen, totdat Ronnie zei dat jullie voeten dan niet meer zouden groeien!'

Het rode lampje dooft en Daisy laat de camera zakken.

'Te gek, Bill, helemaal te gek. Ik denk dat dat wel genoeg is voor hier. Waar wil je nu heen?'

Nu we eenmaal bezig zijn, voel ik me niet meer zo stom en dus lopen we het volgende uur door het tehuis, van de keuken naar de gang naar de eetkamer, zelfs naar het kantoortje van de klootzakken. Met elke kamer groeit mijn zelfvertrouwen en daarmee ook het gevoel dat dit misschien nog best wel eens een succes zou kunnen worden. Dat wil zeggen, totdat de Kolonel zich ermee bemoeit.

'Is er een mogelijkheid dat ik ook een kleine boodschap inspreek, Daisy?' vraagt hij, wanneer we in zijn kantoortje staan.

Daisy kijkt me vragend aan en als ik mijn schouders ophaal, zegt ze: 'Ja, hoor.'

'Ik ga even bij de tweeling kijken,' zeg ik, en ga er vandoor voordat ik gedwongen word om getuige te zijn van weer een lange en saaie toespraak.

Een paar minuten lang zit ik bij ze in de woonkamer, niet dat ze in de gaten hebben dat ik er ben. Ze gaan compleet op in de film, die er inderdaad best onderhoudend uitziet en zeker geen meisjesfilm is, zoals Louie eerst gedacht heeft. Veel zwaardgevechten en duels en grappige oneliners, maar met toch genoeg prinsessen om ook Lizzie gelukkig te houden. Voordat ik er erg in heb, zit ik zelf ook helemaal geboeid te kijken, en wanneer de aftiteling over het scherm rolt, lijkt de tweeling uit een soort trance te ontwaken.

'Dat was geweldig,' zegt Louie, terwijl hij zijn armen strekt, alsof hij degene geweest is met het zwaard in zijn hand, in plaats van de gemaskerde hoofdrolspeler. 'Mogen we hem straks nog een keer zien?'

'Dan moet je aan Daisy vragen of je hem mag lenen,' antwoord ik, hoewel ik al wel weet wat het antwoord zou zijn. 'Ga je schoenen maar vast aantrekken, Annie kan hier elk moment zijn.'

Bij het horen van die woorden rennen ze de kamer uit en de trap op, denkbeeldige zwaarden in de hand, mij achterlatend in de nu lege woonkamer.

Iets, waar ik waarschijnlijk maar aan moet wennen.

Twintig minuten later is het nog stiller in huis. Annie is gekomen en heeft de tweeling meegenomen, extra opgewonden, nu ze voor het eerst de dag alleen met haar mogen doorbrengen. Geen klootzakken om het te verpesten – voorbij zijn de bezoekjes onder toezicht, een nieuwe nagel aan mijn doodskist.

Daisy kijkt ze vanuit de deuropening na en prikt me dan in mijn arm.

'Kom op, niet zo somber kijken. We hebben nog een boel te filmen, voordat ze terug komen.'

'Kunnen we het hier niet bij laten? Ik heb verder toch niets meer te vertellen,' mopper ik, niet in staat om mijn frustratie te verbergen.

'Wanneer jij wilt dat het laatste, wat ze zullen zien, Ronnie is,' antwoordt ze, heel goed wetende dat ik dat natuurlijk absoluut niet wil.

'Oké, één opname nog dan, meer niet.'

'Perfect,' zegt ze grijnzend, waarna ze me mee de trap af trekt naar de tuin. Ze duwt me naar het bankje bij de garage, voordat ze me uitlegt wat haar bedoeling is.

'Niet vergeten, dit wordt dus de laatste opname. Het beeld, dat ze het langst zullen onthouden, nadat ze de tv uitgezet hebben. Hou het dus kort en vertel ze de waarheid.'

'Hoe bedoel je, 'de waarheid'?'

'Geen idee, Bill. Het is jouw familie, niet die van mij!' Ze haalt diep adem. 'Weet je, er zijn zo veel dingen die ik nog graag tegen mijn vader en moeder gezegd zou hebben. Dingen, waar ik nooit de kans toe gekregen heb. Dingen, waarvan ik nu spijt heb. Nou, jij hebt die kans nu wel, dus verknal hem niet.'

En zonder verder nog iets te zeggen, drukt ze de knop in. De camera loopt weer.

'Hoi, ik ben het weer. Hopelijk was Ronnies verhaal niet al te saai. Ik zit hier nu op het bankje in de tuin en geloof niet dat ik nog veel te vertellen heb.' Ik zwijg en kijk om me heen, op zoek naar inspiratie. 'Hier zaten we vaak in de zomer. Hé, weten jullie nog die dag dat we hier in één keer *De Griezels* uitgelezen hebben? Louie was er zo door geobsedeerd, dat ook hij eten in zijn haar probeerde te verstoppen, net als meneer Griezel. Nog dagen later moesten we de opgedroogde cornflakes uit zijn haren plukken.' Ik grinnik bij de herinnering, voordat ik me realiseer dat ik nu echt niets meer te vertellen heb.

'Ik hoop dat jullie het leuk vonden. Het was Daisy's idee, eerlijk gezegd.'

Daisy draait de camera om naar zichzelf en zwaait even, voordat ze hem weer op mij richt. 'We vonden het heel leuk om te doen. Het heeft me een beetje doen beseffen dat het toch niet altijd vervelend was om hier te wonen. Vaak wel natuurlijk, maar niet altijd.'

Ik kijk in de lens van de camera, mijn hoofd nu echt helemaal leeg.

'Verder weet ik eigenlijk niets meer te zeggen, behalve dan dat ik jullie heel veel plezier wens bij Annie. Dat is namelijk waar jullie horen, weet je? Dat jullie hier zaten, was nooit de bedoeling. Jullie verdienen beter. Geniet er dus van en vergeet niet, mochten jullie me ooit nodig hebben, voor wat dan ook, maakt niet uit hoe laat het is, bel me dan. Enkel omdat we niet meer onder hetzelfde dak wonen, betekent nog niet dat er verder iets verandert. Ik blijf jullie broer. Tot gauw.'

Ik zwaai nog even en sta dan op van het bankje, waarna Daisy de camera uitzet.

# 23

Tegen de tijd dat we wegrijden bij het tehuis zit de auto zo volgestouwd met troep, dat ik bijna bang ben dat we het grootste deel van de reis op onze achterwielen over de snelweg rijden.

Voor iemand die gewend is om soms wekenlang met zijn legervriendjes af te zien in de natuur, wil de Kolonel wel heel veel spullen meenemen voor slechts twee nachtjes kamperen.

'Altijd goed beslagen ten ijs komen,' zegt hij met een grijns. 'Een goede voorbereiding is het halve werk.'

Lizzie en ik staren hem verbijsterd aan, terwijl Louie met duim en wijsvinger het teken van 'loser' maakt. Ik geloof niet dat Ronnie ook maar een idee heeft wat dat betekent, maar hij snapt wel dat het geen compliment is.

De eerste paar weken van de zomervakantie zijn voorbij gevlogen en in de verte dreigt school alweer, iets waar ik niet echt vrolijk van word. Maar op dit tripje hebben we ons allemaal erg verheugd. Elke minuut die je niet in het tehuis of bij de andere tehuiskinderen hoeft door te brengen, ook al is het maar om even boodschappen te doen, wordt al als een bonus gezien, maar twee nachten weg... tja, dat gebeurt eigenlijk nooit.

'Jullie hebben het verdiend, jullie alle drie. Jullie hebben behoorlijk wat voor je kiezen gehad de laatste tijd en dus wilden we jullie graag de gelegenheid geven om nog wat tijd als familie door te brengen.'

Ik voel een steek van verdriet. Wanneer dit onze laatste vakantie samen is, voordat we weer uit elkaar gehaald worden, dan moet ik me gedragen. Ik wil dat de tweeling met alleen maar mooie herinneringen vertrekt en heel egoïstisch wil ik die zelf eigenlijk ook wel.

En dus houd ik mijn mond wanneer Ronnie de achterbak vol stouwt met spullen, zelfs wanneer hij ons uitgebreid uitlegt waar alles voor dient. Pas nadat de achterklep dichtgeklapt is laat hij ons eindelijk instappen.

Maggie, de andere klootzak die met ons mee komt, kan het echter niet laten om hem te plagen, terwijl ze naast de tweeling achterin klimt. 'Nou, dat was leuk, Ron, maar ik ben wel bang dat ik, tegen de tijd dat we weer terug zijn en alles weer uitgepakt hebben, aan mijn pensioenleeftijd zit. Op zich niet erg, maar ik was nog maar vijfenveertig toen mijn dienst begon.'

'Ja, lach jij maar, maar wanneer het weer omslaat, zul je me dankbaar zijn dat ik zo goed voorbereid was.'

'Ik zal je nog dankbaarder zijn wanneer we de tenten nog opgezet krijgen voordat de zon ondergaat, dus geef nu alsjeblieft gas, oké?'

Ik voel hem naast me verstijven, maar hij probeert zich duidelijk in te houden en tegen de tijd dat we de snelweg bereikt hebben, is hij weer oprecht vrolijk. Zo vrolijk zelfs, dat hij de cd's van de tweeling opzet, ondanks hun afschuwelijke muzieksmaak.

Je kunt het ze niet kwalijk nemen – ze zijn tenslotte nog klein – maar bij elk overdreven opgewekt liedje dat uit de speakers knalt beginnen ze harder te pogoën op de achterbank, waardoor de auto steeds verder achterover lijkt te gaan hangen. Louie is zelfs zo enthousiast dat hij tegen de achterkant van Ronnies hoofdsteun aan begint te trommelen. Gespannen wacht ik zijn reactie af, in de veronderstelling dat hij zou brullen dat Louie daar meteen mee op moest houden, maar hij blijft zowaar rustig. Tot groot genoegen van de tweeling begint hij zelfs mee te drummen op het stuur. En hoe enthousiaster zij worden, hoe meer hij zijn best doet. Op een gegeven moment zit hij zelfs naast me te headbangen en ik moet toegeven dat ik het eerst nog wel grappig vind, ook al is het vrij gênant, zoiets als wanneer je leraar probeert om cool te doen, maar als hij met een soort Britney Spears-imitatie begint, wordt het me echt te veel. En Maggie duidelijk ook, die hem spottend een tik tegen de achterkant van zijn hoofd geeft en hem opdraagt om op de weg te letten.

Daarna wordt het even wat rustiger; de tweeling zakt steeds verder onderuit, Mags lijkt ook in slaap te vallen en Ron zet het meest saaie radiostation op dat ik ooit gehoord heb. Eindeloos geouwehoer over nieuwsachtergronden, afgewisseld door verkeersinformatie. Genoeg om zelfs *mijn* oogleden zwaar te laten worden en wanneer Ronnie niets gezegd had, denk ik dat ook ik in slaap zou zijn gevallen.

'Het gaat nu voor jou ook niet meer lang duren, hè?' zegt hij, zijn ogen nog steeds op de weg gericht.

'Hm?'

'Voordat je met je rijlessen kunt beginnen. Nog maar twee jaar. Heb je er al zin in?'

'Ja, hoor,' antwoord ik. Ik wil vooral niet te enthousiast klinken. Het was tenslotte niet, dat ik nog nooit gereden had. Sommige van de jongens met wie ik op het veldje had zitten drinken, hadden de gewoonte om motors te jatten en een paar keer had ik met ze meegedaan. Ze hadden me zelfs een paar keer op de parkeerplaats op de wat kleinere motors laten rijden. Het was niet eens zo moeilijk geweest, zolang ik maar niet van versnelling probeerde te wisselen. Waardoor ik natuurlijk als een soort kangoeroe over die parkeerplaats gesprongen was, om uiteindelijk tegen een rij winkelwagentjes tot stilstand te komen.

'Wil jij even schakelen? Mijn zoons vonden dat ook altijd heel leuk om te doen.'

Uiteraard, denk ik, terwijl ik moeite moet doen om niets te zeggen.

'Waarom? Kun je het zelf niet of zo? Dan zou ik maar uitkijken, als ik jou was, voordat je het weet halen ze je van de weg af.'

Ronnie glimlacht en haalt zijn hand van de versnellingspook. 'Ja, ja, heel grappig. Kom op. Snel! Terug naar de derde versnelling, voordat die rotonde nog dichterbij komt.'

En dus doe ik mee, meer uit verveling dan iets anders, en het blijkt een mooie manier om hem een beetje te kunnen sarren, door bijvoorbeeld in één keer twee versnellingen terug te schakelen, waardoor hij tegen het stuur aan valt. Maar hij neemt het sportief op en laat me gewoon verder gaan, helemaal tot aan de camping zelfs.

Die blijkt best wel cool. Alle staanplaatsen liggen in het bos, elk op een eigen open plekje, en allemaal hebben ze hun eigen vuurplaats.

De tweeling is helemaal door het dolle heen na de lange rit en rent meteen het bos in, op zoek naar avontuur. Ik verwacht eigenlijk dat Ronnie ze meteen terug zou roepen om eerst te helpen bij het opzetten van de tenten, maar hij staat ze enkel met een glimlach op zijn gezicht na te kijken.

'Oké, Bill. Help jij me mee?'

Voordat ik kan antwoorden, heeft hij me al een stapel slaapzakken in de armen gedrukt en wijst hij me naar het dichtstbijzijnde pad.

'Zo snel mogelijk alsjeblieft. We hebben nog heel wat uit te pakken, voordat we de tenten kunnen gaan opzetten.'

Mij maakt het niet uit. Het voelt heerlijk om weg te zijn uit het tehuis en weg van Annie, en dus doe ik braaf wat er van me verlangd wordt en geniet ondertussen van de Ronnie-en-Maggieshow.

Het zijn net twee ruziënde neushoorns. Allebei een groot ego en een nog grotere bek, en allebei niet te beroerd om de ander precies te laten weten wat ze denken.

'Waarom zet je die in vredesnaam daar neer?'

'Omdat dat in de schaduw van de boom is, dan wordt het 's ochtends niet zo warm in de tent.'

'Misschien niet, maar wanneer het een beetje hard waait kun je waarschijnlijk niet slapen vanwege de takken die tegen de zijkanten schrapen.'

'Doe niet zo belachelijk. Daar zal ik echt niet wakker van liggen.'

'Zelf weten. Je weet dat ik dit al eens eerder gedaan heb, hè? Maar goed, luister vooral niet naar me, hoor.'

Wanneer je niet beter zou weten, zou je gedacht hebben dat ze een getrouwd stel waren, in plaats van collega's die noodgedwongen samen moesten werken.

Af en toe stop ik even met waar ik mee bezig ben, enkel om naar ze te kijken, maar uiteindelijk krijg ik er toch lol in om ons stulpje klaar te maken voor de nacht. Ik weet niet waar Ron de tenten vandaan heeft, maar die van ons is in elk geval niet verkeerd. Het is een grote koepeltent, hoog genoeg om net rechtop in te kunnen staan, en heel ruim van binnen. Nadat ik onze matjes, slaapzakken en kussens neergelegd heb, ziet het er zowaar behaaglijk uit. Ik weet zeker dat de tweeling het helemaal geweldig vindt.

Tegen de tijd dat ik klaar ben, helpt Ron net met het opzetten van Mags tent. Daarbij kan hij het natuurlijk niet nalaten om nog eens te benadrukken dat die van hem allang staat. Dit zie ik als mijn teken om er vandoor te gaan. Mijn geluk kennende, zou ik er straks nog de schuld van krijgen, als zij hem met een tentharing te lijf gaat.

Het duurt niet lang voordat ik de tweeling gevonden heb. Al van verre is hun gegil tussen de bomen te horen. Ik vind ze bij een riviertje, van het soort dat je normaal gesproken alleen maar in films ziet. Het stroompje vormt de scheidslijn tussen het bos en een groot veld, en de takken van de laatste bomen hangen over het water. Iemand heeft blijkbaar al eerder ontdekt wat een gave plek dit is en een touw aan een van de hoogste takken gehangen, met aan het eind een oude tractorband. Louie duwt Lizzie steeds hoger over het water, en die geniet zichtbaar, met een glimlach van oor tot oor.

Het ontroert me om ze zo te zien. Voor één keer hoeven ze geen schommel met acht andere tehuiskinderen te delen, terwijl de klootzakken erop toekijken dat iedereen netjes op zijn beurt wacht.

Heel even vang ik een glimp op van hoe een normale jeugd eruit zou kunnen zien en ik hoop maar dat het nog niet te laat is voor hen.

Het volgende uur zijn we bezig met elkaar heen en weer te duwen over het water en we genieten. Zelfs wanneer Louie uit de band in het koude water onder hem tuimelt, is de schrik nog niet groot genoeg om de pret te drukken. In plaats daarvan springt Lizzie er ook in, waarna ze hem nog eens extra nat spettert, wat uiteindelijk tot een uitbundig watergevecht leidt.

Helemaal doorweekt en buiten adem laten we ons na afloop op de kant vallen, grinnikend om hoe smerig we eruit zien.

'Ronnie wordt helemaal gek als hij ons zo ziet,' zegt Lizzie lachend.

'Ik vind dat we hem hier naartoe moeten halen, zodat hij de band zelf uit kan proberen. Kijken of we hem ook in het water kunnen krijgen. Wat denk jij, Bill?'

'Na wat ik zojuist gezien heb, denk ik dat het je nog zou lukken ook, Lou.'

Hun fantasie gaat met ze op de loop, terwijl ze manieren bedenken om Ronnie een hak te zetten. Het begint met brandnetels in
zijn sokken en wilde paddenstoelen in zijn ontbijt, en eindigt met
een nest vol reuzenmieren in zijn slaapzak, waarbij elk idee met
veel enthousiasme ontvangen wordt.

Maar op onze weg terug naar het kamp stelt Louie een vraag, die
ik niet heb zien aankomen.

'Denk je dat we Ronnie nog wel eens zullen zien, wanneer we
eenmaal bij mama wonen?'

Ik heb geen idee wat ik hierop moet zeggen en dus zwijg ik.

'Wat denk je, Bill?'

'Vast wel. Misschien is hij er wel als wij elkaar in het weekend
zien, of zo.'

'O, ja. Hij bracht ons ook altijd naar Jans huis, toen jij daar nog
woonde, weet je nog?'

Ik ril bij de herinnering.

'En op de terugweg kocht hij dan altijd heel veel chocolade voor
ons,' zegt Lizzie. 'Weet je dat nog, Lou?'

'Natuurlijk weet ik dat nog. Jij huilde namelijk altijd net zo lang,
totdat hij ergens stopte voor die chocolade.'

'Niet waar. Trouwens, jij huilde altijd net zo hard.'

'Ophouden nu, allebei. Het doet er niet toe, oké?'

'Trouwens, Louie,' zegt Lizzie op een toon van 'zie je wel?',
'Ronnie vond het helemaal niet erg. Net zoals dat hij het ook
niet erg vond om voor onze deur te blijven zitten.'

'Hoe bedoel je?' vraag ik, mijn interesse gewekt.

'Toen jij er niet was,' zegt Lizzie, 'bleef hij altijd in de deuropening zitten, net zoals jij dat altijd doet. Nadat je onze lievelings-
verhaaltjes voorgelezen en ons dekbed onder onze voeten ingestopt hebt.'

'En we hoefden het hem niet eens te vertellen,' voegt Louie er
aan toe. 'Hij wist precies wat de bedoeling was. En soms zat hij er
wel de hele nacht.'

'Doe niet zo belachelijk.' Ik voel hoe mijn voorhoofd zich fronst.

'Maar dat deed hij echt, Bill. Ik werd een keer wakker midden in

de nacht omdat ik moest plassen en toen zat hij daar nog steeds.
Allemaal dossiers en papieren om zich heen, maar hij was nog
steeds wakker.'
'En vroeg je hem wat hij daar deed, Lou?'
'Waarom zou ik? Hij deed gewoon wat jij ook altijd doet. Hij
zorgde voor ons.'
En zo lopen we terug over het pad, richting het vuurtje dat
inmiddels naast onze tenten brandt.

# 24

Kamperen had veel voordelen.
Geen andere tehuiskinderen in de buurt, die ons lastig konden
vallen. Geen vloeren voor Ronnie om te dweilen, waardoor het
hele tehuis naar ontsmettingsmiddelen rook.
Maar wat ik het allerfijnst vond, was de afwezigheid van de
gebruikelijke huisregels.
Eerst werd het vijf uur zonder ook maar de geur van avondeten,
vervolgens acht uur zonder dat er ook maar over in bad gaan
gesproken werd, zelfs niet door de Kolonel. Het voelde geweldig,
maar ik merkte dat de tweeling nog wat moest wennen aan deze
ongebruikelijke vrijheid.
'Moeten we onze pyjama's nog niet aantrekken?' had Louie gevraagd, nadat hij een paar keer op zijn horloge gekeken had.
'Vanavond hoeft dat niet, Lou,' had Maggie geantwoord. 'Hier
gelden de regels van de camping. En de enige regel is dat er geen
regels zijn.'
Ik glimlachte, terwijl Lizzie een snelle blik op Ronnie wierp, om
te kijken of hij er iets van zou zeggen, maar die knikte enkel instemmend en legde nog wat worstjes op het rooster boven het
vuur.
Ook wat het eten betreft knijpt Maggie een oogje dicht. Er zijn

hamburgers, worstjes, spiesjes en gepofte aardappelen, maar als ze ons allemaal een sinaasappel geeft en zegt dat we daar chocolade-muffins van gaan maken, zijn we toch even bang dat ze niet helemaal goed bij haar hoofd is.

Maar man, wat smaken die lekker. Nadat we het vruchtvlees eruit geschept en de schillen met de muffinmix gevuld hebben, wikkelen we ze in aluminiumfolie en leggen ze in het vuur. Voor één keer is het nu eens niet de tweeling, die het meest opgewonden is, maar ben ik het. Ik blijf maar tegen de sinaasappel aanprikken om te kijken of het deeg al gaar is. Uiteindelijk is het zelfs Louie die tegen me zegt dat ik wat moet relaxen, iets wat de klootzakken natuurlijk vreselijk grappig vinden.

Binnen no-time heb ik de muffin weggewerkt en ik moet me beheersen, als Mags me ook nog de hare aanbiedt. Eerlijk gezegd vind ik wel dat ze die zelf verdiend heeft. Het is immers ook haar idee geweest.

En zo zitten we van ons toetje te genieten, de rest dan, terwijl het gesprek gaat over de andere vakanties die we met het tehuis gehad hebben. Geen van alle leuk, maar inmiddels zijn we zo high van de chocolade, dat het allemaal niet meer uitmaakt. Plotseling waren het stuk voor stuk geweldige reisjes.

'Weet je nog die keer dat we in dat hotel vlakbij het strand zaten?' vraagt Louie stralend. 'En dat Tommy Saunders toen de sleutel van de voorraadkast jatte?'

'Dat kan ik moeilijk vergeten zijn, nietwaar?' zegt Ron kreunend, terwijl hij probeert zijn glimlach te onderdrukken. 'Ik was tenslotte degene die alle koekjes in zijn koffer vond.'

Maggie lacht zo hard dat ik even bang ben dat ze stikt. 'Dat moet je die jongen toch nageven. Hij mocht dan een dief zijn, hij was wel zo slim om alleen de chocoladekoekjes te stelen. De biscuitjes die in mijn kamer lagen, waren gewoon smerig.'

'Ja, lach jij maar, Mags, maar jij was niet degene die met die jongen terug moest en de boel uit moest leggen.'

'Dat was eigenlijk ook wel een beetje overdreven, vind je niet? Het ging maar om een paar koekjes, niet om een stapel goudstaven.'

'Maggie! Hij had de helft van zijn kleren in de vuilnisbak gedumpt, alleen maar om nog meer koekjes in zijn koffer te kunnen stoppen. Dat kon ik toch moeilijk ongestraft laten, of wel soms?'

Dat is het moment waarop we allemaal de slappe lach krijgen. We herinneren ons nog hoe opgewonden Tommy geweest was, nadat hij die sleutel te pakken gekregen had en hoeveel koekjes we allemaal gekregen hadden, voordat Ronnie hem mee terug naar het tehuis genomen had. Zo veel, dat we de verpakkingen in de vuilnisbakken langs het strand gegooid hadden, zodat de schoonmakers van het hotel niets in de gaten zouden krijgen.

Hij mocht dan misschien slechts voor korte tijd een tehuiskind geweest zijn, zijn reputatie was legendarisch.

Tegen de tijd dat we alle herinneringen opgehaald hebben, is de zon al onder en is het vuur nog het enige licht dat we hebben. Ik zie dat de tweeling moe begint te worden, maar wil ze nog niet naar bed sturen, zolang de Kolonel dat blijkbaar ook nog niet nodig vindt.

Uiteindelijk valt Louie echter in zijn stoel in slaap, tot grote hilariteit van Lizzie.

Ronnie, die wil voorkomen dat deze avond geruïneerd zou worden doordat Louie in het vuur valt, gooit hem over zijn schouder en draagt hem naar de tent.

Ongevraagd stapt Lizzie er achteraan, maar niet voordat ze mij gevraagd heeft, 'Kom je ook naar bed, Bill?'

Ik schud mijn hoofd. 'Nee, ik blijf nog even zitten. Wie weet maakt Mags nog een chocomuffin voor me.'

Lizzie blijft me nog even aankijken, en een moment lang denk ik dat ze me gaat vragen of ik in de tentopening wil komen zitten, totdat ze in slaap is. Maar in plaats daarvan haalt ze haar schouders op en glimlacht.

'Als je maar niet denkt dat er straks nog plek is op de matjes,' zegt ze giechelend. 'Louie en ik vonden namelijk dat de tent perfect is voor twee personen, en dat een derde persoon eigenlijk te veel is!'

En met die woorden duikt ze de tent in.

Ik had natuurlijk blij moeten zijn dat ze die avond zo makkelijk gingen slapen. Maar toch zitten die laatste woorden me niet lekker. Het lijkt wel alsof alles nu opeens perfect voor twee is, waardoor ik in mijn eentje achterblijf. En Ronnie maakt het er ook al niet beter op, wanneer hij de tent weer uit komt. Hij wil verder praten over die goeie ouwe tijd, maar dat moment is voorbij. Het enige wat ik nog wil, is zitten en in het vuur staren.

'Raar hè? Dat we ons al die vakanties nog zo goed kunnen herinneren. Weet je nog die keer dat we vastzaten in die hut in de sneeuw? Jij was als de dood dat we allemaal dood zouden vriezen. Of van de honger om zouden komen.'

'Hilarisch,' zeg ik met een uitgestreken gezicht, terwijl ik in de vlammen blijf kijken.

'Maar ik geloof toch dat mijn favoriet dat vakantiepark in Cornwall was. Daar hadden ze echt de snelste waterglijbanen, die ik ooit gezien heb.'

Ik doe niet eens meer de moeite om te antwoorden.

Vanuit mijn ooghoeken zie ik hem een blik uitwisselen met Mags, die vervolgens besluit dat het tijd geworden is voor de afwas. Zodra ze vertrokken is, schuift hij zijn stoel dichter bij die van mij.

'Gaat het, Bill? Je bent opeens zo stil.'

Hij legt even een hand op mijn schouder, en dat is voor mij de druppel. Geïrriteerd schud ik hem van me af, alsof hij een enge ziekte heeft.

'Wat is dat toch met jou? Waarom wil je toch altijd weten hoe ik me voel?'

'Ho, ho, rustig maar. Ik dacht dat we een leuke dag hadden. Waar heb jij opeens last van?'

'Hetzelfde als altijd. Van jou. Jij weet nooit wanneer het genoeg is, of wel? Altijd maar doorvragen. Altijd maar in mijn hoofd proberen te kijken.'

'Ik bekommer me gewoon om je. Daar ben ik voor.'

'Nee, daar word je voor betaald. En daar gaat het om, nietwaar,

Ronnie? Meer ben ik niet voor je. Je interesseert je niet echt voor me, toch? Ik ben alleen maar iets, waarmee je je geld verdient.'

'Kom op, Bill. Dat geloof je toch zelf niet, of wel? Neem nou maar van mij aan dat het me echt niet om het geld te doen is.' Hij probeert naar me te glimlachen. 'Als je mijn loonstrookje zou zien, zou je me meteen geloven. Ik heb echt alleen maar het beste met je voor. Ik wil iemand zijn, die je kunt vertrouwen. Hoe lang kennen we elkaar nu al? Ik bedoel, we *zijn* toch inmiddels ook praktisch familie, of niet soms?'

Ik spring overeind.

'Waag het niet, zulke dingen te zeggen,' bits ik. 'Waag het niet om dat woord te gebruiken. Niet wanneer het over mij gaat. Niet wanneer het over ons gaat.'

Hij kijkt niet begrijpend. 'Welk woord?'

'Je weet heel goed welk woord. *Familie*. Jij hebt *jouw* familie. Jouw *vrouw*. Jouw geliefde *zoons*. We zien heus wel hoe je elke keer de minuten aftelt tot het eind van je dienst, zodat je snel weer naar ze toe kunt.'

'Kom op, Bill. Dat is niet waar. Geloof me, echt niet. Ik mag je juist heel graag. Ik ken jou nu al langer dan wie van de andere kinderen ook.'

'Maar ik zal nooit je zoon zijn, wanneer snap je dat nou eens? Ik zal het nooit kunnen opnemen tegen je eigen jongens, dus waar hebben we het over? We weten heus allemaal wel hoe geweldig die zijn.'

Ik zie een flits van ergernis in zijn ogen, terwijl hij naar voren buigt.

'Tja, dat bewijst maar weer eens hoe goed je het allemaal weet, nietwaar?' Hij zwijgt even, terwijl hij me met zijn meest militaire blik aankijkt. 'Heb jij enig idee wanneer ik mijn oudste zoon voor het laatst gezien heb?'

'Hou me niet langer in spanning.'

'Zes maanden geleden.'

Ik rol ongelovig met mijn ogen, een reactie, die hem duidelijk ook niet aanstaat.

'Kijk niet zo naar me. Waag het niet te suggereren, dat ik tegen je zit te liegen. Ik heb hem al zes maanden niet meer gezien en de enige keer dat hij langskwam, was omdat hij geld nodig had.'

'En hoe komt dat? Omdat je zijn leven net zo probeerde te sturen als het mijne?'

'Het gaat je geen moer aan, hoe dat komt.'

Maar aan de blik in zijn ogen te zien, heb ik er niet ver naast gezeten.

'En dat bewijst alleen mijn punt nog maar eens, nietwaar, Ron? Jij weet alles over mij, maar ik weet helemaal niets over jou.'

'Hoe bedoel je?'

'Al die dossiers in het kantoortje. Al die verslagen. Allemaal geschreven door jou. Al die dingen over Shaun en wat hij gedaan heeft, je zult het inmiddels allemaal wel uit je hoofd weten. Maar ik weet nog niet eens waar jij woont!'

Hij zucht en haalt zijn vingers door zijn haar.

'Tja, wil je dat ik het je vertel?'

'Het interesseert me geen f★★★ waar jij woont.'

Hij springt overeind en beent naar de andere kant van het vuur. Ik zie dat ik hem geraakt heb, zoals het me nog nooit eerder gelukt is.

'Heb je enig idee hoe frustrerend het is om het jou naar de zin proberen te maken, Billy Finn? Elke dag ga ik naar mijn werk in de hoop nu eindelijk eens iets van een glimlach bij je te zien, of een 'goedemorgen' van je te horen. Maar denk maar niet dat dat ooit gebeurt. In plaats daarvan moet ik je meestal in de houdgreep nemen, wat echt een van de meest vreselijke dingen is, die ik in mijn werk moet doen.'

'Doe het dan niet. Het is namelijk niet zo, dat ik het wel leuk vind.'

'Wat wil je van me, Billy?' Hij is nu echt kwaad en met de vlammen tussen ons in, heeft hij bijna iets duivels. 'Wat wil je weten? Ik probeer je te vertellen dat ik om je geef en jij snauwt naar me. Ik vertel je over de slechte relatie die ik met een van mijn zoons heb en je lacht me uit. Wat moet ik je nog vertellen om je te bewijzen dat ik hier niet alleen maar zit om mijn zakken te vullen?'

De woorden zijn eruit, voordat ik er erg in heb.

'Hoe kom je aan die littekens?'

Hij stopt met ijsberen en de vlammen lijken te stoppen met dansen.

'Welke littekens?'

'Die op je rug. Ik zag ze tijdens de training.'

Ik zie dat hij liever niet wil antwoorden, dat dit een onderwerp is waar hij liever niet over spreekt, hoe hij het ook probeert te verbergen.

'Een ongeluk in het leger. Lang geleden. Niets spectaculairs. En nee, het gebeurde niet tijdens een gevecht, mocht je dat denken.'

'Maar wat was het dan?' Nu wil ik het weten ook, nu zou ik hem testen, om te kijken hoeveel ik daadwerkelijk voor hem beteken.

'Sommige dingen, Billy, kun je maar het best met rust laten. Het is niet echt een leuk verhaal, weet je.'

'En dat ik geslagen werd door mijn stiefvader is dat wel? Weet je wat, ik laat jou met rust als jij nooit meer de naam Shaun noemt, want sommige dingen kun je maar het best met rust laten, weet je.'

Hij straalt een soort nervositeit uit die ik niet van hem ken, terwijl hij zich weer op de stoel naast me laat vallen. Misschien dat het vuur elke rimpel in zijn gezicht extra belicht, maar plotseling ziet hij er jaren ouder uit.

'Ik wilde altijd al graag bij het leger, waarom weet ik zelf eigenlijk niet. Maar ik wilde het al van kleins af aan. Dus tegen de tijd dat ik militair werd, had ik al een goede conditie. Vrienden van me waren al eerder bij het leger gegaan en hadden de basistraining behoorlijk zwaar gevonden. Ze waren meer tijd kwijt met overgeven en verrekte spieren dan met marcheren, en dus had ik ervoor gezorgd dat ik er goed voorbereid aan begon. Met als resultaat dat de basistraining voor mij een makkie was. Maar veel anderen hadden er moeite mee, ik heb nog nooit zo vaak mensen zien overgeven.'

Hij kijkt me aan, in de verwachting dat ik het verhaal vreselijk saai zou vinden, maar ik onderdruk mijn gaap, waardoor hij zich genoodzaakt ziet om verder te vertellen.

'Tegen de tijd dat mijn training erop zat en ik bij mijn regiment kwam, had ik al een aardige reputatie. Ik was niet per se het grootst of het snelst, maar arrogant was ik zeker. Niet bang om ergens tegenin te gaan en ik denk dat ik daardoor opviel, vooral bij een aantal oudere militairen. Aanvankelijk raakte ik betrokken bij wat vechtpartijtjes, waardoor ik mezelf niet al te populair maakte bij de mensen die ertoe deden.'

'Heeft iemand je uitgedaagd?'

Hij wrijft met zijn vingers over zijn voorhoofd.

'Dat niet echt, maar ze vonden een manier om me een toontje lager te laten zingen.'

'O? Wat deden ze dan?'

'Veel regimenten hebben ontgroeningsceremonies. Meestal stelt dat niet zoveel voor, dan hoef je bijvoorbeeld alleen maar te bewijzen dat je flink door kunt drinken, of word je zonder kleren en uitrusting 's nachts in het bos gedropt.'

'Klinkt hilarisch,' zeg ik spottend, in een poging hem nog wat meer op de kast te jagen.

'Ze besloten – nou ja, een aantal van hen besloot – dat ze wel eens wilden zien hoe stoer ik nu echt was. Dus op een nacht, toen ik sliep, besprongen ze me, blinddoekten me en bonden me vast, waarna ze me achterin een vrachtwagen gooiden.'

Ik voel hoe ik rechterop in mijn stoel ga zitten, en hoe mijn hart sneller gaat kloppen.

'Eerst probeerde ik mezelf nog te gerust te stellen. Dacht ik dat ze me, net als de rest, in het bos zouden droppen. Maar toen we stopten, was dat niet in het bos, maar ergens op een zandpad in de *middle of nowhere*. Ze gooiden me uit de wagen, zeiden dat ik me uit moest kleden en bonden vervolgens mijn handen aan de trekhaak.'

'Was je bang?'

'Wat denk jij? Ik deed het bijna in mijn broek. Ergens hoopte ik natuurlijk dat ze me alleen maar op stang wilden jagen, maar ik wist ook dat ik een aantal van hen echt pissig gemaakt had in het verleden, en het waren nu niet bepaald de meest vergevingsgezinde gasten, als je begrijpt wat ik bedoel.'

'Maar ze wilden je echt alleen maar bang maken, toch?'

'Nope. Toen ze me eenmaal met een touw van zo'n drie meter lang hadden vastgemaakt, startten ze de vrachtwagen weer en begonnen te rijden. In het begin nog niet zo snel, net hard genoeg om mij erachter aan te laten rennen en behoorlijk te laten zweten. Maar toen dat ze begon te vervelen, voerden ze het tempo op.'

'En wat deed je toen?'

Ronnie kijkt me aan alsof ik niet goed bij mijn hoofd ben. 'Wat denk je? Ik begon harder te rennen natuurlijk. Althans, dat probeerde ik. Maar de weg was bochtig en na een paar minuten lukte het me niet meer om overeind te blijven en trokken ze me verder op mijn rug.'

'Maar toen stopten ze toch wel, of niet?'

'O, ja, ze stopten. Na zo'n honderd meter of zo. Maar dat was genoeg om mijn rug flink open te halen. De dokter was wel een paar uur bezig om alle steentjes eruit te plukken. Nadat ze me gevonden hadden, tenminste.'

'Bedoel je dat ze je daar achterlieten?'

'Je denkt toch niet dat ze trots op me waren en me gingen feliciteren? In hun ogen had ik het juist alleen nog maar erger gemaakt, had ik ze gekleineerd. En dit was hun manier om zich te laten gelden.'

Ik weet niet hoe ik moet reageren. Kan niet geloven wat ik hoor.

'Maar je hebt ze toch zeker wel teruggepakt? Je zei immers dat je ze allemaal makkelijk aan kon.'

'Dat klopt, maar niet als groep. Het waren er zes. En bovendien wist ik dat ik ze harder kon pakken zonder ze daadwerkelijk aan te raken.'

'Ik snap het niet. Hoe kon je ze nu terug pakken zonder ze helemaal verrot te slaan?'

'Omdat het leger alles was, wat die gasten kenden. Ze hadden geen andere talenten waarmee ze hun brood konden verdienen, bovendien vonden ze het heerlijk om onderdeel van een groep te zijn. En dus werd dat hoe ik ze terugpakte; ik zorgde ervoor dat ze eruit gegooid werden.'

Onwillekeurig hap ik naar adem. 'Je bedoelt dat je ze verlinkt hebt?'

'Yep,' antwoordt hij, zonder ook maar een spoor van spijt in zijn stem. 'Ik weet dat ik jong en irritant was, dat ik me in hun plaats ook groen en geel aan mezelf zou hebben geërgerd. Maar het had m'n dood kunnen worden, Bill. Wanneer ze iets verder doorgereden waren of wanneer ik mijn hoofd gestoten had, dan was het einde oefening geweest. Je wilt me toch niet vertellen dat ze alleen maar een tik op de vingers verdiend hadden?'

'Nou, nee. Maar verlinken? Ik dacht dat jullie legertypes altijd zo solidair waren met elkaar.'

'Zijn we ook. En in de twintig jaar daarna heb ik ook nooit meer iemand verlinkt. En ik was heus nog wel vaker betrokken bij vecht-partijen.'

Hij gaat bij het vuur staan en schopt nog een paar houtblokken in de vlammen.

'En dat is waar het uiteindelijk om draait, denk ik. Soms is het makkelijk om te vechten, maar hoe meer je vecht, hoe moeilijker het wordt om op een andere manier te reageren. Is dat een ant-woord op je vraag?'

Ik knik, in gedachten verzonken. Ik weet niet wat ik nog moet zeggen.

'Nou, ik denk dat ik Maggie maar eens even een handje ga hel-pen. Ze is vast niet blij dat ik haar alle afwas alleen laat doen. Zorg jij dat het vuur blijft branden? Ik denk dat ik zo meteen nog wel een kopje thee lust, voordat ik onder de wol kruip.'

En zonder nog een keer om te kijken loopt hij tussen de bomen door, mij achterlatend met heel wat om over na te denken.


# 25


De weken die volgden waren minder vrolijk. Na alle opwinding van het filmen en kamperen besefte ik alleen nog maar meer dat alles binnenkort zou gaan veranderen. Van welke kant ik het ook bekeek, de tweeling zou vertrekken en wat betekende dat voor mij?

Tijdens mijn beoordelingsgesprek was me beloofd dat, wanneer ik me goed zou gedragen, wij drieën bij elkaar zouden blijven, maar nu die kans verkeken leek, zag ik ook geen reden meer om mee te werken.

School moest er uiteraard als eerste aan geloven. Ik bedoel, ik leerde niks, maar was er wel hele dagen aan kwijt.

Soms wist ik mezelf er nog wel naartoe te slepen, enkel om wat tijd met Daisy door te kunnen brengen, maar vaak was zelfs dat vooruitzicht niet genoeg en bleef ik gewoon in bed liggen, nadenkend over een goede plek voor mijn nieuwe ster, die nog altijd in zijn doosje in een lade lag. Wanneer ik hem ergens op zou plakken, zou hij al snel net zo saai en doods zijn als de rest. Zo ging dat op plekken als deze.

Uiteraard had Ronnie mijn veranderde gemoedstoestand al snel in de gaten en hoezeer hij ook zijn best deed om me bezig te houden, zelfs zijn lichaam had op een gegeven moment genoeg pakken slaag gehad.

Hij probeerde me te stimuleren om alleen te gaan trainen, gebruik te maken van de bokszak, maar ik had er geen zin in. Boksen als sport interesseerde me totaal niet; zonder iemand, op wie ik me kon afreageren, zag ik er de lol niet van in.

Eerlijk gezegd bleek het sparren uiteindelijk ook weer voor nieuwe problemen te zorgen. Hoewel de sessies goed waren om wat dingen te verwerken, leek ik Shauns gezicht elke keer groter voor me te gaan zien, zodra ik de bokshandschoenen aantrok. En wat nog veel erger was, ik raakte hem niet meer kwijt. Wekenlang liep ik erover te piekeren, probeerde ik het te begrijpen. Het was immers al jaren geleden, dat ik hem voor het laatst gezien had en ik wist dat hij en Annie al tijden geleden uit elkaar gegaan waren. Dus waarom was ik nu dan opeens weer zo met hem bezig? Waarom kon ik zijn gezicht niet uit mijn gedachten krijgen, kon ik aan niks anders denken dan hem in elkaar slaan, zoals hij ook mij in elkaar geslagen had?

Elke dag droeg ik hem met me mee, of ik nu wakker was of sliep, en ik voelde hoe hij langzaam van binnen aan me begon te vreten. De woede die ik dankzij het boksen zo lang had weten te onderdrukken, begon langzaam weer op te spelen, waardoor ik noodgedwongen weer wat oude gewoontes begon op te pakken. Ik hing weer rond op straat, gooide ramen in, brak in in auto's, alles om die beelden maar uit mijn hoofd te verdrijven. Maar zelfs een fles goedkope wodka kon mijn hoofd niet leeg maken – en geloof me, ik heb het geprobeerd.

Om het allemaal nog erger te maken, liep het met Daisy inmiddels ook niet meer zo lekker. We spraken nog steeds wel af, maar vaak was ze in zichzelf gekeerd, zat ze maar wat voor zich uit te staren, net zoals toen we elkaar nog maar net kenden. Vreemd genoeg leek ze opeens ook wel kleiner, alsof ze langzaam aan het krimpen was. En ze liep heel langzaam, altijd met haar armen over elkaar heen geslagen, alsof ze zichzelf continu liep te omhelzen.

Maar pas na een incident op school besefte ik dat er echt iets aan de hand was. Als een zombie liep ze door de gang, leek niet in de gaten te hebben dat ik haar riep. En dus rende ik achter haar aan en pakte haar bij haar arm. Helemaal niet ruw of zo, maar ze flipte compleet, ging als een waanzinnige te keer.

'Laat me los!', gilde ze, terwijl ze zich los trok, haar gezicht vertrokken van pijn. 'Wat bezielt je? Hoe haal je het in je hoofd om mij zo van achteren te besluipen?'

'Rustig maar, oké? Ik dacht dat we het volgende uur ergens zouden gaan chillen, meer niet.'

'Dat geeft je toch nog geen recht om me zo ruw beet te pakken, of wel soms? Tjonge, Billy, wat ben je toch altijd hardhandig.'

Ze heeft haar armen weer over elkaar heen geslagen en plotseling zie ik een bloedvlek op een van haar mouwen, alsof er een lekkende pen onder zit.

'Hé, gaat het wel? Je arm bloedt.'

'Niet waar. Er is niks aan de hand.'

'Zo ziet het er anders niet uit. En zo te zien wordt het alleen nog maar erger. Moet ik een pleister voor je halen of zo? Zo kun je niet blijven rondlopen.'

'Luister, zoals ik al zei, er is niks aan de hand. Ik heb me misschien per ongeluk gekrabd of zo...'

'Dat is geen krasje. Je moet er echt even iemand naar –'

'LAAT nou maar, oké, Billy? Wie denk je wel niet dat je bent? Je moet me niet proberen te helpen als je niks van me weet.'

En met die woorden loopt ze weg.

Maar het duurt niet lang voordat het tot me doordringt wat er aan de hand is en dan kan ik mezelf wel voor mijn kop slaan, dat ik het niet eerder in de gaten gehad heb.

Daisy snijdt zichzelf.

Ik had het nota bene al vaker gezien bij andere tehuiskinderen. Niet dat ik het begreep, maar ik wist dat het gebeurde. Eén meisje had een poosje bij ons gewoond, was van tehuis naar tehuis gesleept. Ik geloof dat ze in drie jaar tijd in wel tien verschillende tehuizen gezeten had. Niemand geloofde haar, maar het was wel duidelijk dat ze behoorlijk in de war was. Er werd gezegd dat ze door een oom of zo misbruikt was, en tegen de tijd dat ze bij ons arriveerde was ze al maanden bezig met zichzelf elke dag te snijden. Ook bij ons bleef ze niet lang. Een paar maanden maar, totdat de klootzakken zich realiseerden dat ze dit niet aankonden. Maggie was uren bezig in het kantoortje, met het schoonmaken van de wonden of gesprekken met therapeuten. Niet dat het wat hielp. Zodra alles verbonden was, nam ze haar andere arm en begon het allemaal weer van voren af aan.

Een van de oudere kinderen vroeg haar een keer waarom ze het deed.

'Omdat ik het kan. Over het algemeen heb ik weinig te kiezen. Maar hierbij heb ik de controle.'

Allemaal zaten we daar en probeerden te snappen wat ze bedoelde. Maar we begrepen er niets van. Waarom zou je jezelf zoiets aandoen?

Een van de anderen dacht dat ze alleen maar herhaalde wat haar psychiater haar aangepraat had, maar ook in dat geval sloeg het nergens op. Ik bedoel, hoe kon je nu de controle in handen hebben en er voor kiezen om jezelf open te snijden?

Ik wilde haar vragen om het nog een keer uit te leggen, maar een paar dagen later was ze verdwenen. Wat maakte één verhuizing meer tenslotte nog uit voor een meisje, dat er al zoveel achter de rug had?

Het besef dat Daisy met hetzelfde bezig is, maakt me bang. Het enige wat ik wil, is haar vertellen dat het oké is, dat ik het begrijp, hoewel dat dus eigenlijk helemaal niet waar is.

De volgende keer dat we samen op het bankje zitten, probeer ik erover te beginnen. Die dag lijkt ze weer een beetje zichzelf te zijn, ze blijft maar doorpraten over een film die ze haat, hoe die alleen maar onderdanigheid predikt, wat dat dan ook mag betekenen.

We hebben nog met geen woord gesproken over het voorval op school en als ik erover probeer te beginnen, wordt het meteen duidelijk dat ze het er liever niet meer over wil hebben.

'Hoe gaat het verder met je? De laatste dagen?'

'Hoe bedoel je?'

'Je weet wel. Ik vroeg me af hoe het met je armen gaat.'

Stilte, behalve dan het uitblazen van de sigarettenrook.

'Ik wil verder niet nieuwsgierig zijn of zo, maar –'

'Hou dan op met vragen.'

'Kom op, Daisy. Ik wil je alleen maar helpen, weet je.'

'Nou, dat is anders niet nodig. Ik red me prima.'

'Daar leek het anders niet op. Het leek er meer op dat je pijn had.'

'Luister, Bill. Ik weet dat je me wilt helpen. Maar dat gaat niet, oké? Er zijn nu eenmaal dingen, waarbij het niet helpt om erover te praten. En meestal kan ik het wel aan, maar op dit moment even niet.'

'Waarom? Wat is er aan de hand?'

'Er is helemaal niets aan de hand. Deze tijd van het jaar is gewoon een beetje moeilijk voor me, meer niet. En hoeveel ik er ook over praat, het verandert er niet door. Dus wat zouden we er dan over doorgaan?'

En dat is blijkbaar dat. Ze plukt wat tabak van haar tong en staart weer in de verte.

Het is zo frustrerend. Ik dacht dat we eindelijk al die geheimzinnigheid een beetje achter ons gelaten hadden, dat we een beetje konden ontspannen bij elkaar. Niet dat ik in haar broek probeerde te komen of zo. Sinds haar opmerking tegen de tweeling was het niet eens meer bij me opgekomen om zoiets te proberen. Zeker niet nu ze zo afstandelijk was.

Maar ik maakte me wel ongerust over haar, vroeg me af of er iets gebeurd was tussen haar en de mensen, bij wie ze woonde. Van het beetje dat ze me verteld had, was het wel duidelijk dat ze niet heel close waren, maar ik begon me af te vragen of er niet nog meer gebeurd was, of ze haar misschien mishandeld hadden. Ik dacht er zelfs over om haar naar huis te volgen, om de boel eens met eigen ogen te bekijken, om erachter te komen wat er precies aan de hand was.

Ik doe het niet, natuurlijk. Wil niet riskeren dat ik betrapt zou worden, en dus blijf ik op het bankje zitten en kijk haar na, terwijl ze de straat uit loopt en uit het zicht verdwijnt, in de hoop dat ze de volgende dag een beter humeur heeft.

Ik geef haar altijd iets van vijf minuten, voordat ik dezelfde kant op loop, richting het huis van Jan en Grant, in de hoop dat ik eindelijk het ganglicht weer eens zou zien branden, zoals al die maanden geleden.

Gezien mijn gemoedstoestand is het waarschijnlijk niet vreemd dat ik tegenwoordig bijna elke dag richting hun huis loop. Dan sta ik daar, tegen een lantaarnpaal aangeleund, kwaad op mezelf dat ik alles zo verkloot heb. Hoezeer ik hen er ook de schuld van probeer te geven, diep in mijn hart weet ik heel goed dat er maar één fout zit, en dat ben ik. Ik verdiende hen niet en zij verdienden beter.

Ik weet niet wat ik verwacht had, toen ik door het sociale woningbouwproject liep. Het was al jaren geleden sinds ik er voor het laatst ook maar in de buurt geweest was.

Ik weet ook niet wat mij er nu opeens weer naartoe had doen gaan. Ik was al gedeprimeerd genoeg vanwege het feit dat ik niet bij Jan en Grant terecht kon, dus waarom probeerde ik het dan nu nog erger te maken? Waarschijnlijk vond ik dat ik het verdiende.

Bepaalde delen van de wijk waren nog steeds een puinhoop. Van de troep die in sommige voortuintjes lag zou je zo hele auto's hebben kunnen bouwen. Maar niet overal was dat zo, de meeste huizen waren toch nog redelijk netjes. Het was duidelijk dat er niet veel geld aan besteed was, maar het zag er in elk geval keurig uit, goed verzorgd.

Toen ik Forbes Ave inliep verwachtte ik eigenlijk dat de herinneringen me meteen wel zouden overvallen, maar er gebeurde niets. Dit was mijn thuis niet meer. Dit was slechts een plek waar ik ooit, in een ander leven, gewoond had.

Maar wat ik me nog wel herinnerde, was hoe het huis eruitzag, omdat dat een afspiegeling van Annies gemoedstoestand geweest was: een rotzooi. Nooit was er tijd geweest voor tuinieren of klussen. Niet zolang er nog drank in huis was tenminste. De enige tijd die zij en Shaun in de tuin doorgebracht hadden, was wanneer de zon geschenen had en er nog genoeg uitkeringsgeld over was om bier van te kopen, of, wanneer ze in een joviale bui waren, een fles goedkope whisky. Als er ooit opgravingen worden gedaan, denken ze waarschijnlijk dat ze een eeuwenoude brouwerij hebben gevonden.

Ik denk dat ik gewoon een beetje op onderzoek was, hopend dat ik het huis nog in dezelfde staat zou aantreffen. Om iets te hebben, waarmee ik naar Ronnie toe zou kunnen gaan, waarvan hij zou zeggen, 'Je hebt gelijk, Bill. Daar kunnen we de tweeling niet naartoe sturen. Laten we het allemaal maar afblazen.'

Maar terwijl ik daar naar Annies huis sta te kijken, voel ik alle hoop vervliegen, omdat het er allemaal zo normaal uitziet. Geen bierblikjes in de tuin, geen lege wijnflessen op de vensterbanken, gewoon een gemiddeld klein rijtjeshuis. Het maakt me zo kwaad dat ik een klomp aarde oppak en me schrap zet om die tegen het raam aan te gooien. Maar nog voordat ik mijn arm opgetild heb, hoor ik een stem.

'Billy?' zegt Annie, turend in het donker. 'Wat doe jij hier in vredesnaam?'

Ik laat de aarde vallen, terwijl ik een antwoord probeer te verzinnen, en wanneer ik niks kan bedenken, gaat ze verder.

'Gaat het wel? Je ziet nogal bleek.'

*Alsof dat haar wat kon schelen.*

'Nee, het gaat wel,' flap ik eruit. 'Weet eigenlijk zelf ook niet wat ik hier doe. Ik ga maar weer...' en ik loop langs haar heen.

'Wilde je misschien ergens over praten?' roept ze, wat me meteen weer doet stoppen.

Er is zoveel wat ik tegen haar wil zeggen, maar ik betwijfel of ze er ook maar iets van wil horen. En dus besluit ik haar gewoon de waarheid te vertellen.

'Wil je weten waarom ik hier ben? Ik wilde je huis controleren omdat het, de laatste keer dat ik het zag, niet bepaald geschikt was om in te wonen. Omdat het een krot was.'

Ze reageert niet zoals ik verwacht had. Sterker nog, ze reageert amper. Ze blijft me alleen maar op dezelfde manier aankijken, met een mengeling van verwarring en verdriet.

'Nou, waarom kom je dan niet even binnen om daar rond te kijken? Het zou zonde zijn wanneer je helemaal hierheen was komen lopen en niet eens even binnen geweest was. De ramen zien er in elk geval een stuk beter uit wanneer ze niet gebroken zijn, dat weet ik wel.'

Ik had gehoopt dat ze de klomp aarde niet gezien zou hebben, maar ik ga me zeker niet verontschuldigen. Een gebroken raam is wel het minste wat ze verdient.

'Ik zet daar geen voet over de drempel. Een likje verf verandert niets aan wat daar allemaal gebeurd is.'

Die woorden zijn raak. Ze grijpt in haar broekzak en haalt haar sigaretten tevoorschijn. Ik zie hoe ze lichtjes trilt terwijl ze er één opsteekt, waarna ze diep inhaleert.

'Dat is al zo lang geleden, Bill. Je weet toch dat dingen kunnen veranderen?'

'O ja?' bits ik. 'Daar geloof ik helemaal niets van. Misschien dat je dat anderen wijs kunt maken, de maatschappelijk werkers en die klootzakken van het tehuis, maar mij niet. Ik ken jou langer dan vandaag.'

'O? En wat bedoel je daarmee?'

'Dat je een alcoholist bent. Je bent een alcoholist en een leugenaar.'

Ze wrijft met haar hand over haar voorhoofd, waarbij de rook van haar sigaret als een smerige halo om haar hoofd kringelt.

'Ik ben inderdaad een alcoholist, Bill, daar heb je gelijk in. Maar ik heb inmiddels al meer dan drie jaar geen druppel meer aangeraakt. Ik kan je de precieze datum vertellen, als je wilt.'

'Ja, doe dat vooral. Jammer alleen, dat je de verjaardagen van je eigen kinderen niet meer weet, vind je ook niet?'

'Ik weet heel goed wanneer jullie allemaal geboren zijn. Alsof ik zoiets ooit zou kunnen vergeten.'

'Waarom lukt het je dan niet om een paar kaarten op de bus te doen? Was je het adres soms kwijt?'

Ze laat haar hoofd hangen, terwijl ze een tweede sigaret aansteekt met het uiteinde van de eerste.

'Je bent te veel in het verleden blijven hangen, Bill. Ik ben al in geen jaren de verjaardag van de tweeling meer vergeten.'

'Maar die van mij is een heel ander geval zeker?' roep ik, maar zodra ik de woorden gezegd heb, heb ik er al weer spijt van.

'Luister, Bill, laten we dit nu niet hier doen. Kom mee naar binnen en drink een kopje thee met me.'

Ze probeert me het tuinpad op te trekken.

Haar aanraking zorgt ervoor dat alle haartjes op mijn armen overeind gaan staan. Dit zijn niet de handen van een moeder. Deze handen zijn niet zacht en liefdevol, dit zijn niet de handen die mij gekalmeerd hadden na een boze droom of die over de pijnlijke plek gewreven hadden, nadat ik gevallen was. Deze handen waren ruw, ouder dan zij was. Dit waren de handen van een vreemdeling.

'Dacht het niet, Annie.' Ik zie haar in elkaar krimpen, wanneer ik haar bij haar naam noem. 'Ik ben hier niet gekomen voor een praatje. Ik wilde alleen het huis even zien. Voor de tweeling, niet voor mezelf. Ik zal hier nooit meer een voet over de drempel zetten, niet na wat je hem ons daar allemaal aan hebt laten doen.'

Ik wil weglopen, maar zij denkt daar anders over.

'Dacht je dat ik kon vergeten wat hier gebeurd is, Billy? Ik zit hier al jarenlang in mijn eentje in dit huis, met *alleen maar* herinneringen aan wat hij jullie aandeed. Wat ik hem liet doen.'

De tranen staan in haar ogen, maar het zijn koude tranen. Ze zijn niet voor mij maar voor haarzelf.

'Maar ik ben veranderd. Ik ben nuchter. Ik weet heus wel dat ik niet alles goed kan maken wat er gebeurd is, maar ik kan tenminste proberen de situatie te verbeteren.'

'Door ons op te splitsen? Door de enige persoon, die er altijd voor ze geweest is, van ze af te nemen? Je bent alleen maar bang dat ik ze de waarheid over je zal vertellen. Over wat een zuipschuit je bent. Over hoe je daar zat en toekeek hoe je vriendje mij in elkaar sloeg, alleen maar omdat ik niet zijn kind was!'

Plotseling realiseer ik me iets.

'Dat is waarom je destijds die papieren ondertekend hebt, nietwaar? Daarom wilde je dat ik naar Jan en Grant ging! Omdat Shaun me niet wilde. En met mij uit de weg geruimd zou de tweeling jou misschien gaan zien als iemand, die je nooit geweest bent – een fatsoenlijke moeder.'

De tranen rollen nu over haar wangen, maar ze maakt geen aanstalten om ze weg te vegen.

'Zo mag je niet denken, Bill. Ik wist niet wat ik deed. Ik dronk in die tijd nog, was altijd dronken. Ze zeiden dat ik je toch nooit terug zou krijgen, dat het beter was om jou een tweede kans te geven bij iemand anders.'

'Wie zei dat?', roep ik. 'Shaun? Luisterde je naar hem?'

'Nee, hij was het niet. Het waren de maatschappelijk werkers. Die zeiden dat ik niet in staat was om voor jou te zorgen. Dat jij behoeftes had, waar andere mensen misschien mee om konden gaan, maar ik in elk geval niet.'

'En dus gaf je me op, zomaar?'

'Zo was het niet, Billy. Maar jij was altijd zo boos. Ik wist niet hoe ik ermee om moest gaan. Hoe ik het beter kon maken voor je. Je was zo… zo… boos!'

Ik probeer de gal in mijn keel weg te slikken, vastbesloten om haar te laten zien dat ik ook kalm kan blijven, maar de woede brandt en ik zou ontploffen, wanneer ik er niet aan toe zou geven.

'En wiens fout was dat, Annie? Wiens schuld was dat? Laten we daar eens even over nadenken, oké? Van wie zou ik dan nou geleerd hebben?'

'Ik was nooit zo boos op jou, Billy. Ik was gewoon ziek. Had geen idee wat ik deed.'

'Maar je stond wel gewoon toe te kijken. Je keek toe hoe Shaun mij helemaal in elkaar sloeg. En je hield hem nooit tegen. Nooit.'

'Maar ik wilde het wel. Echt waar. Ik was alleen bang.'

'Je was niet bang, Annie,' zeg ik, terwijl ik langzaam mijn hoofd schud. 'Je was straalbezopen. En het was makkelijker om bezopen te zijn dan om een moeder te zijn, en daarom bleef je bij hem. Omdat hij je kon geven wat je nodig had. Hij zorgde voor de drank.'

Opnieuw loop ik weg. Ik heb gehoord wat ik wilde horen, maar dat houdt haar niet tegen, ze rent bijna achter me aan, schreeuwend als een waanzinnige.

'Maar nu ben ik nuchter, Billy. Hoor je me? Ik ben veranderd. Maar jij,' roept ze, 'jij bent geen steek veranderd. En weet je wat, dat is waarom die familie je terug gestuurd heeft. Omdat je niemand dichtbij laat komen, laat staan van je laat houden.'

'En hoe zou dat komen?' vraag ik.

Ik loop nog een paar passen door, voordat ik nog één keer blijf staan om haar aan te kijken.

'Ik weet dat de tweeling teruggaat naar jou omdat je ze er allemaal van hebt weten te overtuigen dat je het kunt. Maar onthoud goed, dat ik jou beter ken dan zij en wanneer je het verknalt – WANNEER, niet als, WANNEER – dan zal de tweeling het je nooit vergeven, en de klootzakken ook niet. En dan zullen we nog wel eens zien wie ze het minst aardig vinden, oké?' Ik zie hoe ik de twijfel zaai in haar hoofd met die laatste woorden, maar ik kan er alleen maar van genieten. Hoe het ook zou gaan lopen, iemand zou eronder lijden, of dat nou de tweeling was of ik. Het enige wat ik kon doen, zo leek het, was wachten tot het zou gebeuren.

# 26

Voor normale kinderen betekent een lang weekend een reisje naar de kust, lange dagen in het park of de kans om weer eens goed verwend te worden door opa en oma. Maar voor tehuiskinderen gelden andere regels. In mijn wereld werden die drie vrije dagen gezien als de perfecte mogelijkheid om de tweeling naar Annie te verhuizen.

Voor mij was dit het begin van het einde van de wereld. Na vandaag zouden ze alleen nog maar denken aan Annie en aan hun nieuwe kamer, aan de vriendjes met wie ze op straat speelden. Het zou slechts een kwestie van tijd zijn – enkele weken, schatte ik – totdat ze het tehuis helemaal vergeten waren. Mij helemaal vergeten waren.

Ronnie probeerde er nog een positieve draai aan te geven, beloofde dat hij me af zou leiden met trainingen en heel veel één-op-ééntijd, maar het hielp niets. Er was niets te verzinnen waardoor de klap verzacht kon worden of waardoor ik me minder alleen zou voelen.

Die ochtend lag ik vanuit mijn bed te kijken hoe het licht langzaam bezit van mijn kamer nam, net zoals de afgelopen maanden, met Louie diep in slaap naast me. Sinds hij wist dat ze terug zouden gaan naar Annie, waren zijn bezoekjes een nachtelijk ritueel geworden, en hoezeer ik me ook bezorgd maakte over hoe hij het daar zou gaan redden, ik kreeg het niet over mijn hart om hem terug in zijn eigen bed te leggen. Bovendien zorgde zijn aanwezigheid ervoor dat ik eindelijk eens genoeg kon ontspannen om een paar uurtjes slaap te pakken.

Lizzie daarentegen leek een stuk rustiger onder de hele situatie te zijn, opgewonden zelfs, en kwam eigenlijk alleen maar bij ons liggen wanneer ze wakker werd en ontdekte dat Louie verdwenen was.

Ze beseften donders goed wat er aan de hand was. De klootzakken deden er alles aan om ze zo goed mogelijk voor te bereiden, waarbij ze ze constant aanmoedigden om zo zelfstandig mogelijk te zijn. Ze kwamen zelfs aanzetten met een therapeut, die hen tekeningen liet maken over hoe zij dachten dat hun leven bij hun moeder eruit zou gaan zien. Ik weet niet welke tekening ik het ergst vond. Die van Lizzie was buitengewoon gedetailleerd. Een huisje met een tuintje, met haarzelf, Annie, Louie en mij vrolijk zwaaiend in de deuropening, terwijl die van Louie een slordig eenkleurig geheel was. Bij hem geen rook uit de schoorsteen, geen bloemen in de tuin, maar wel met drie sip kijkende figuurtjes. Geen spoor van mij op de tekening.

Waarschijnlijk maakten de klootzakken zich nogal zorgen over mij, aangezien ook ik getrakteerd werd op een preek van de therapeut, over hoe ik de tweeling het beste voor kon bereiden. Ik moest vooral regelmatig met ze praten, wanneer ik maar kon en wanneer zij maar vragen hadden. Wat wilden ze dat ik zou zeggen? Hoe kon ik de tweeling vertellen dat dit het beste voor ze was, terwijl ik ze het liefst zou opsluiten in mijn kamer om ze nooit meer te laten gaan? Het was een afschuwelijke situatie, maar ik had geen keus.

Terwijl ik die laatste ochtend de trap af slof, vraag ik me vertwijfeld af hoe we in vredesnaam de uren tot aan Annies komst moeten doorkomen. Mij is opgedragen om alles zo normaal mogelijk te laten verlopen, voor de tweeling. Gelukkig heeft Ronnie de hele ochtend alweer met zijn gebruikelijke militaire precisie uitgestippeld en voor deze ene keer ben ik daar blij om en doe ik mee. Het ontbreekt me ook aan de energie om er tegenin te gaan.

Hij begint met een uitgebreid Engels ontbijt, waarmee hij zijn eigen gouden regel van alleen maar gebakken eten op zondag overtreedt. Terwijl ik toekijk hoe hij zijn bord vol eten weg zit te werken, vraag ik me af of deze overtreding van de barakwetten misschien alleen voor zijn eigen plezier geweest is.

Helaas laat hij ons nog wel steeds afwassen en we hebben meer dan een half uur nodig om alles naar volle tevredenheid schoon en glimmend te krijgen. Terwijl we af staan te drogen zie ik hoe de andere tehuiskinderen voorzichtig de deur uitgewerkt worden om, gezien de hoeveelheid spullen die ze bij zich hebben, de rest van de dag niet meer terug te komen.

Ik moet toegeven dat dit een opluchting is. Het laatste waaraan ik nu behoefte heb, is irritante kinderen om me heen. Ik heb geen zin om mijn laatste ochtend met de tweeling in de houdgreep op de grond te moeten doorbrengen, enkel omdat ik iemand een lesje geleerd heb.

Ook Ron lijkt er niet rouwig om te zijn. Terwijl de minibus het hek uit rijdt, zie ik hem ontspannen, hoewel hij nog altijd een bezorgde uitdrukking op zijn gezicht heeft, wanneer hij zich naar ons toewendt.

'Goed, mensen. Zullen we in de woonkamer gaan zitten? Billy heeft nog iets, wat jullie misschien wel graag willen zien.'

Vragend kijk ik hem aan, ik heb geen idee waarover hij het heeft.

'Het levensverhaalboek, Bill?' fluistert hij. 'Ik dacht dat dit misschien een mooi moment was om het aan de tweeling te laten zien. Zal ik de dvd uit je kamer halen?'

'Eh, nee, laat maar, ik pak hem zelf wel,' zeg ik.

Hoewel het nooit bij me opgekomen is om er samen met hen naar te kijken, is het eigenlijk inderdaad wel een goed idee. Zo kan ik ze uitleggen wat mijn bedoeling geweest is en kunnen ze de dvd meteen meenemen.

Het is wel een beetje vreemd om het terug te zien. Sinds Daisy me de dvd gegeven heeft, heb ik er nog niet naar durven kijken.

Maar de tweeling lijkt te begrijpen wat de bedoeling is, nadat ze eenmaal gestopt zijn met brullen van het lachen om de eerste beelden van mij. Allebei hadden ze naast me willen zitten, maar zodra de film eenmaal loopt, laat Lizzy zich op de grond glijden om daar op haar buik, kin op haar handen, verder te kijken. Je zou bijna gedacht hebben dat ze opnieuw naar *The Princess Bride* ligt te kijken, in plaats van naar haar grote broer in het tehuis.

Louie blijft wel naast me zitten en ondanks het feit dat hij hard zit te giechelen om het verhaal over de kunstgalerij, voel ik zijn spanning, het knijpen van zijn vingers, als hij mijn hand pakt. Zachtjes knijp ik terug en trek hem nog wat dichter tegen me aan.

Pas wanneer het bijna afgelopen is en Ronnie plotseling in beeld verschijnt, ga ik wat beter opletten. Eerlijk gezegd was ik helemaal vergeten dat hij die dag Daisy en de camera nog even opgeëist had. Nerveus kijk ik toe hoe hij begint te spreken.

'Hallo, jongens. Ik ben het, Ronnie.'

Ondanks zijn nonchalante woorden heeft hij toch nog steeds iets militairs, zoals hij daar zit, kaarsrecht, zijn haren keurig gekamd.

'Ik hoop dat jullie het niet erg vinden dat ook ik even verschijn op Billy's film, maar ik wilde toch ook graag even hallo en, eh, tot ziens zeggen. Ik had de eer om jullie persoonlijk begeleider te zijn in de periode dat jullie hier zaten. Sterker nog, ik was aanwezig op de avond dat jullie drie hier arriveerden. Ongelooflijk dat jullie hier alweer zo lang zitten en dat we elkaar dus al zo lang kennen. Ik wilde… nou ja, ik hoop dat jullie een fijne tijd tegemoet gaan bij jullie moeder. Het is prachtig om familie te hebben en jullie hebben maar één moeder, zorg dus goed voor haar en gedraag je een beetje daar. Hopelijk hoeft Annie niet zoveel achter jullie aan te rennen als ik dat gedaan heb.'

Hij zwaait nog even, waarna de camera al begint te zakken, maar dan voegt Ron er toch nog iets aan toe.

'O, nog één ding. Ik ben ervan overtuigd dat Billy jullie een schitterende rondleiding gegeven heeft door het huis, waarin jullie zo lang gewoond hebben. Maar er is eigenlijk maar één ding dat jullie echt niet mogen vergeten tijdens de komende jaren, en dan heb ik het niet over dit tehuis of de mensen die hier werken. 'Wat jullie niet mogen vergeten is jullie broer. Omdat Billy… nou ja, ik heb nog nooit zo iemand als jullie broer ontmoet; dat jullie nu zulke geweldige kinderen zijn, hebben jullie echt aan hem te danken. Soms zou ik bijna vergeten dat hij maar zes jaar ouder is dan jullie. Dat mag natuurlijk niet, maar het gebeurt wel. Tijdens de afgelopen acht jaar was hij een soort vader en moeder tegelijk voor jullie. Vergeet dat nooit, wat er ook gebeurt. En vergeet ook niet om hem af en toe eens te bellen. Oké, dat was het wel, ik wens jullie heel veel plezier. We zien elkaar gauw weer.' En met die woorden wordt het scherm even zwart, voordat ik mijn eigen stem weer hoor. Maar ik zie niets, door de tranen die in mijn ogen prikken.

Ik doe niet aan huilen. Al jaren niet meer. De boosheid zit meestal in de weg. Dus nu ik vochtige ogen krijg van Ronnies woorden, weet ik niet wat ik moet doen, behalve dan de tranen snel wegslikken, voordat iemand het in de gaten heeft. Het lukt me om ze door mijn keel te krijgen, daar waar normaal gesproken mijn woede zit, vlak voordat die explodeert.

Nadat de dvd afgelopen is verschijnt de Kolonel in de deuropening. 'Oké, jongens, over een uur staat jullie moeder op de stoep, dus ik wil dat jullie nu naar boven gaan om nog een keer te controleren of er echt niets meer in jullie slaapkamer ligt. Ik heb geen zin om vanavond laat nog naar jullie huis te moeten rijden omdat jullie van alles vergeten zijn.'

De tweeling rolt met de ogen en verlaat de kamer, waarschijnlijk blij dat ze binnenkort van zijn instructies verlost zijn.

'Gaat het, Bill?' vraagt hij.

Ik waag het niet om iets over de film te zeggen en al helemaal niet over zijn bijdrage, niet terwijl mijn tranen nog zo hoog zitten. En dus knik ik enkel.

'Ik weet dat vandaag niet makkelijk zal zijn. Maar ik ben hier het hele weekend, mocht je willen praten.'

Ik frons mijn wenkbrauwen. 'Hoe bedoel je, het hele weekend? Loopt je dienst dan niet af vanavond?'

'Eigenlijk wel. Maar ik dacht dat het misschien beter was als ik nog wat langer bleef, voor het geval...'

Ik zie de angst in zijn gezicht. De angst dat ik hem weer net zo af zou snauwen als altijd. Dus wanneer ik alleen maar knik en langs hem heen loop, lijkt hij oprecht opgelucht.

De kamer van de tweeling is onherkenbaar. Met de bedden afgehaald en alle posters van de muren – behalve dan de half afgetrokken voetbalstickers – lijkt het wel een armoedige jeugdherbergkamer. Wat het in zekere zin natuurlijk ook is, bedenk ik. Ze hebben alles gecontroleerd en de laatste losse spulletjes nog in hun tassen gepropt. Het ziet er nu allemaal zo definitief uit dat ik het liefst meteen weer terug naar beneden gegaan was.

'Kom op,' zeg ik, verbaasd over hoe opgewekt mijn stem klinkt. 'Dan dragen we de tassen naar beneden. Ze zal er nu wel gauw zijn.'

Hoezeer ik de tijd ook stil wil zetten, ik weet dat het onmogelijk is. En even later klopt Dawn (na acht lange maanden zowaar nog steeds onze maatschappelijk werkster) ook al op de deur, Annie in haar kielzog.

'Hallo, allemaal,' zegt ze opgewekt, waarbij haar glimlach enigszins bevriest aks ze mij ziet.

Lizzie weet niet hoe snel ze zich langs haar heen moest wurmen en gooit Annie bijna omver, zo enthousiast springt ze in haar armen.

'Hallo, lieverd,' zegt Annie, terwijl ze haar gezicht in Lizzies haren begraaft. 'Wat vind ik het fijn om je te zien. En wat zie je er mooi uit vandaag.'

'Gaan we nu naar huis?' vraagt Lizzie, waarbij ze afwisselend Dawn, Annie en Ronnie aankijkt, alsof ze zich afvraagt wie er nu eigenlijk de baas is.

'Gauw, Lizzie, gauw,' antwoordt Annie, terwijl ze om zich heen kijkt. 'Oké, waar is je broer? Die heb ik nog helemaal niet gezien.'

Fronsend kijk ik om me heen, maar ze heeft gelijk. Geen Louie.

Ik werp een blik over mijn schouder en ontdek dat hij vlak achter me staat, een bezorgde blik in zijn ogen.

'Wat doe je daar nou, Lou?' vraagt Ronnie zacht. 'Moet je je moeder niet even gedag zeggen?'

'Hallo.' Hij zwaait even, probeert zelfs te glimlachen. Maar hij blijft achter me staan.

'Goed,' zegt Dawn, in een poging de spanning te breken. 'Zal ik dan alvast wat spullen naar de auto brengen, zodat jullie afscheid van elkaar kunnen nemen?'

Ze pakt een paar tassen en zwaait die over haar schouder, voordat ze zich zo snel mogelijk uit de voeten maakt.

'Louie?' vraagt Annie. 'Louie, ik weet dat dit allemaal nog wat vreemd is, maar het komt echt goed, dat beloof ik. Voor mij voelt het ook ongewoon. Maar ik heb hier al zo lang op gewacht. En ik beloof je dat het echt allemaal goed komt. Meer dan goed zelfs. Je zult zien dat het geweldig wordt.'

Ze strekt haar handen naar hem uit en langzaam komt hij nu dichterbij, voordat hij haar uiteindelijk toestaat om hem in haar armen te sluiten.

Daar blijft hij een seconde of twee, waarna hij weer een stap achteruit doet en omkijkt naar mij, om te zien hoe ik reageer.

'Mag Billy met ons meekomen, mam?' vraagt hij snel, zijn stem plotseling hoopvol. 'Gewoon voor een paar uurtjes vanmiddag?'

Annie weet duidelijk niet wat ze moet zeggen. Ze kijkt om zich heen, in de hoop dat Dawn alweer terug komt, klaar om haar te redden. Gelukkig voor haar doet Ronnie wat hij altijd doet, namelijk zich ermee bemoeien.

'Ik denk dat dat vandaag niet zo'n goed idee is,' zegt hij, terwijl hij Louie over zijn bol aait. 'Een ander keertje kan dat vast wel, maar vandaag is het beter als jullie alleen met Dawn en jullie moeder meegaan. Zodat jullie langzaam kunnen wennen thuis en alles uit kunnen pakken en jullie posters op kunnen hangen. Dan is het voor Billy ook leuker om te zien, wanneer hij op bezoek komt, denken jullie ook niet?'

'Oké,' antwoordt Louie, zijn blik nog steeds op mij gericht.

'En vergeet niet dat we volgende week zaterdag afgesproken hebben. Dan gaan we naar Pickering Park en daarna pizza eten. Dat is al over zeven nachtjes.'

'Die zullen voorbij vliegen,' zegt Annie, duidelijk opgelucht dat Ronnie er is. 'Luister, ik zal de rest van de bagage naar de auto brengen, zodat jullie afscheid kunnen nemen van Ronnie en Bill. Ik wacht buiten op jullie.'

Ze pakt de twee overgebleven tassen op en glimlacht nog een keer naar me. 'Heel erg bedankt, Billy. Ik weet niet wat ik verder nog moet zeggen. Behalve dan, nou ja, sorry.'

'Voor wat?' vraag ik scherp. 'Voor wat je tegen me gezegd hebt, vorige week?'

Ronnie kijkt niet begrijpend, maar zegt niets.

'Dat en voor al het andere.' Even zie ik iets van emotie in haar ogen en ik hoop maar dat het inderdaad spijt is.

'Ik weet echt niet wat ik verder nog tegen je moet zeggen, Billy. Ik wou dat het anders was.'

Wat dacht je van *Ik ben van gedachten veranderd*, denk ik. Ik zou zelfs al tevreden zijn met *Kom met ons mee*. Alles wat zou betekenen dat ze vandaag niet met haar zouden vertrekken. Niet zonder mij.

Terwijl ze weg loopt, valt het me op hoe klein de tassen eigenlijk zijn. Dat de inhoud van hun levens in twee van die eenvoudige weekendtassen past. Ze verdienen zo veel meer. Wij allemaal.

Ik kijk naar Lizzie en glimlach, voordat ik haar onder haar armen pakte en optil voor een omhelzing. En dan komen de tranen.

'We willen allebei zo graag dat je met ons meekomt, Billy,' huilt ze. 'Ik snap niet waarom jij hier blijft. Wil je dan niet meekomen?'

'Het gaat niet om wat ik wil, lieverd,' zeg ik zacht. 'Hier hebben we het toch over gehad, weet je nog? Het gaat erom dat jullie een thuis krijgen. Ik ga over een paar jaar toch het huis uit. Het zou dus niet eerlijk zijn tegenover Annie om naar een groter huis te moeten verhuizen, alleen maar zodat ik over een tijdje weer zou vertrekken, of wel soms?'

'Maar volgende week kom je wel, toch?' vraagt ze.

'Ik zou het voor geen goud willen missen,' antwoord ik, en dwing mezelf om te grijnzen. 'Vooral omdat Ronnie betaalt.'

Ze giechelt en knuffelt me nog een laatste keer.

'Annie zal toch wel voor de badkamerdeur blijven zitten, terwijl ik daar bezig ben, Bill?' fluistert ze, bang dat Ronnie het zou kunnen horen.

'Dat zal niet nodig zijn, meisje, echt niet. Maar je hoeft het haar alleen maar te vragen,' antwoord ik, terwijl ik haar voorzichtig weer op de grond zet.

Dan is alleen Louie nog over, die elke seconde bleker lijkt te worden. Ik wenk hem en hurk op de drempel. Met een sip gezicht komt hij op mijn knie zitten en laat zijn hoofd tegen mijn borst aan vallen.

'Ik ga niet,' zegt hij beslist, en terwijl hij het zegt, hoor ik Ronnie dichterbij komen. Ik moest dus snel reageren, voordat hij het zou doen.

'Kom op, vriend. Je weet dat dat niet gaat. Hier hebben we het al jaren over. Een echt thuis, weg van hier. Dit is zelfs nóg mooier dan waar we van gedroomd hebben, want je gaat bij je moeder wonen!'

'Hoe kan het nu mooier zijn, Billy, wanneer jij er niet bent?' vraagt hij. 'Dat was niet waar we het over hadden.'

'Maar er verandert echt niet zoveel, Lou. Het is alleen maar een kwestie van locatie. Wat maakt het uit dat ik hier slaap en jullie daar? Je hoeft alleen maar even de telefoon te pakken en ik kom, dat weet je toch.'

'Maar ik heb geen telefoon!' jammert hij.

'Nee, dat weet ik. Maar Annie heeft er één. Dan gebruik je gewoon die van haar.'

'Ik wil niet gaan, Billy. Echt niet.'

'Dat is niet echt waar, of wel? Je voelt je nu gewoon even zo omdat je afscheid moet nemen. Maar over een uurtje of twee zul je zien dat je je alweer heel anders voelt.'

'Maar als dat niet zo is, kom je me dan weer halen?'

Ik kijk hem recht in zijn ogen. 'Wanneer je me nodig hebt, echt nodig hebt, en Annie kan je niet helpen, dan hoef je me alleen

maar te bellen. Ik zal mijn telefoon niet uitzetten, dat beloof ik.'
Die woorden lijken hem te overtuigen en hij drukt zichzelf nog
even tegen me aan, waarbij hij mijn borst, mijn hele lichaam met
warmte vult. Ik probeer de warmte op te slaan, probeer alle
emotie eruit te persen, als de dood dat het nog vreselijk lang zal
duren voordat ik me weer zo voel.

Voordat ik er erg in heb, is Lizzie er ook weer, drukken ze zich
allebei nog een keer tegen me aan, waardoor de tranen uit mijn
keel naar mijn mond geperst worden. Hoezeer ik er ook tegen
vecht, ik weet dat ik ze niet altijd tegen zal kunnen houden. Het
enige wat ik dus kan denken, is: *Ga alsjeblieft niet huilen. Ga alsjeblieft niet huilen.*

De tranen prikken al in mijn ogen, als de Kolonel me redt.

'Kom op nu, jongens. Geef jullie broer wat ademruimte. Jullie
moeten nu echt gaan.'

Ik voel hoe ze zich van me losmaken en met elke stap die ze
doen voel ik iets verder en verder uit elkaar scheuren, het gevoel
zo intens, dat ik alles op alles moet zetten om het niet uit te
schreeuwen van pijn.

En terwijl ik ze langzaam het pad af zie lopen, kan ik amper nog
helder denken. Mijn hand zwaait automatisch maar verder ben ik
alleen maar bezig met mezelf te vermannen.

Pas als het hek dicht klapt en ze uit het zicht verdwenen zijn,
komen eindelijk de tranen. En op dat moment draai ik me om
naar Ronnie, waarna ik, zonder erbij na te denken, en zonder me
er druk over te maken, mijn armen om hem heen sla en hem toe-
sta me overeind te houden.

# 27

De mok met thee in mijn hand geeft weinig warmte meer af.
Twintig minuten eerder was hij nog gloeiend heet geweest,

had hij bijna mijn rillende lichaam verwarmd, maar nu is hij nog slechts lauw en half leeg.

Ronnie komt naast me op het bankje zitten, neemt een laatste slok uit zijn kop en zucht dan overdreven.

'Hoe smaakt dat?'

'Niet echt, eerlijk gezegd.'

'Ik snap wat je bedoelt. Ik had ook liever een biertje gehad,' zegt hij, terwijl hij in de verte staart.

'Breek me de bek niet open.'

Hij moest lachen. 'Zodra je achttien bent, Billy. Er staat al een tafeltje gereserveerd in de pub, bij de haard, speciaal voor jou en mij.'

Alsof ik nog drie jaar zou kunnen wachten op een biertje. Een paar uur moeten wachten totdat ik een fles met... nou ja, met wat dan ook in handen kon krijgen, leek me op dat moment al bijna onhaalbaar.

'Hoe voel je je? Je ziet eruit alsof je het koud hebt.'

Ik weet niet wat ik moest antwoorden, aangezien ik me eigenlijk helemaal niets voel. Behalve dan verdoofd.

Ik heb geen idee hoeveel tijd er voorbij gegaan is sinds het hek achter ze dicht geslagen is, het enige wat ik weet is dat mijn ogen branden, mijn hoofd moe is en ik geen tranen meer over heb.

'Sorry,' zeg ik, zonder op te kijken.

'Waarvoor?'

'Nou ja, dat ik me zo liet gaan en zo. Het was niet mijn bedoeling om jou daarmee op te zadelen.'

'Doe niet zo mal,' zegt hij, terwijl hij even met zijn schouder tegen die van mij aan stoot. 'Daar ben ik toch voor. Ik had me meer zorgen gemaakt wanneer je me niet zo nat gesnotterd had, eerlijk gezegd. Bovendien heb ik liever dat je huilt dan dat je me in elkaar slaat.'

Ik moet lachen, maar probeer me in te houden, voel me schuldig dat ik daar blijkbaar alweer toe in staat ben.

'Het wordt vanzelf makkelijker, weet je.'

'Wat?'

'Dat ze er niet meer zijn. In het begin zal het nog wat onwennig voelen, maar ik beloof je, Bill, dat het na verloop van tijd echt makkelijker wordt.'

Ik adem langzaam uit, weet niet wat ik moet zeggen. Ik wil hem graag geloven, wil geloven dat wat hij zegt waar is, maar ik kan het gewoon nog niet.

'Het maakt niet uit,' zeg ik. 'Maak je geen zorgen. Bovendien zal het binnenkort waarschijnlijk toch niet meer jouw probleem zijn.'

'Hoe bedoel je? Natuurlijk is het wel mijn probleem. Jij bent altijd al mijn verantwoordelijkheid geweest. Waarom zou dat nu opeens veranderen?'

'Omdat ik hier niet meer lang zal blijven, toch?'

'Hoe kom je daar nu bij? Dit is jouw thuis, Billy. Het feit dat de tweeling weg is, verandert daar niets aan.'

Ik zucht en wrijf over mijn brandende ogen, alle emotie is uit mijn stem verdwenen.

'Maar hoe zit dat dan met wat ze tijdens mijn beoordeling zeiden? Dat ik te oud werd voor hier. Dat ik naar die therapeutische instelling, of hoe ze het ook noemden, moest.'

'Billy, daar begonnen ze over omdat ze zich zorgen maakten over je. Omdat ze bang waren dat je misschien iemand iets aan zou doen, of, belangrijker nog, jezelf iets aan zou doen. Maar ik heb met eigen ogen gezien hoeveel je veranderd bent tijdens de afgelopen maanden, Bill, en dan heb ik het nog niet eens over het naar school gaan of al die dingen. Dan heb ik het over hoe je met de tweeling omging, met de andere kinderen hier. Met Daisy. Met mij.'

'Maar ik ben niet veranderd. Ik speelde een rol. Deed alsof, zodat jullie ons niet uit elkaar zouden halen.'

'Dat geloof ik niet. Ik weet dat je je best deed, dat was voor iedereen hier duidelijk. Dus probeer me nu niet te vertellen dat je je de afgelopen periode niet anders voelde. Dat je zelf niet vindt dat de situatie verbeterd is. Want dat is onzin, Billy, en dat weet je best.'

Ik zit daar en kijk hem aan, verbaasd. Verbaasd dat hij me om te beginnen een leugenaar noemt, maar nog meer verbaasd over zijn mening over mij. Dat hij me blijkbaar zo goed in de gaten gehouden heeft.

'Maar wat maakt het uit?' bluf ik. 'Wat ik ook gedacht mag hebben de afgelopen maanden, het maakt toch allemaal geen verschil meer, of wel? De tweeling is weg. Annie heeft haar zin gekregen. Wie kan het nog wat schelen wat er nu met mij gebeurt?'

'Mij kan het wat schelen, Billy,' roept hij, terwijl hij verontwaardigd opstaat van de bank. 'Besef je dat dan nog niet? Ik ben hier al voor je sinds je hier aan kwam, vriend. Misschien dat dat voor jou niets betekent, maar voor mij betekent het heel veel. Dus verwacht nu niet dat ik ga staan toekijken hoe jij de boel weer gaat verknallen.'

'Doe dan wat de rest van de klootzakken doet. Wanneer het je niet bevalt, of wanneer je het niet aankan, rot dan lekker op en ga wat anders doen.'

Ik zwijg, terwijl hij aangeslagen weer gaat zitten.

'Natuurlijk, en wat moet ik dan gaan doen, volgens jou?'

'Weet ik veel. Terug naar het leger? Alsof mij dat wat kan schelen.'

'Daar ben ik nu te oud voor.' Hij grinnikt, hoewel het niet echt vrolijk klinkt. 'Te oud en inmiddels ook te vastgeroest in mijn eigen gewoontes, ben ik bang.' Hij kijkt me aan. 'Ik heb er ooit wel aan gedacht om te vertrekken, hoor. Stond op het punt om mijn ontslag in te dienen, had de brief zelfs al geschreven. Maar ik was als de dood. Had geen idee wat ik dan moest gaan doen, wat ik kon. Wanneer je hier al zo lang zit als ik, dan ga je je echt afvragen of je ooit nog wel ergens anders zou kunnen wennen.'

De herkenbaarheid van wat hij vertelt, overvalt me.

'Wat gebeurde er?' vraag ik.

'Hoe bedoel je?'

'Waarom ging het niet door?'

'We werden gebeld, 's avonds laat. Ik had de volgende ochtend aan het eind van mijn dienst de brief willen inleveren. Maar dat telefoontje zorgde ervoor dat ik van gedachten veranderde.'

'Waarom? Waar ging het over?'

'Over jou, Bill. Je verblijf bij Jan en Grant was mislukt en dus zou je terugkomen. Toen kon ik moeilijk nog vertrekken, of wel soms?'

Hij slaat een arm om me heen en laat zijn hand op mijn schouder rusten.

'En ik ben blij dat ik gebleven ben. Ondanks alles, wat je me de afgelopen jaren aangedaan hebt. Omdat, wat je ook van me mag denken, of van jezelf, ik weet dat het het waard was.'

Ik ben sprakeloos. Ik bedoel, hoe reageer je op zoiets?

Niet.

Behalve dan dat je opnieuw je tranen probeert terug te dringen.

De rest van de middag deden we niet veel meer. Ronnie probeerde me nog aan het boksen te krijgen, maar ik had geen zin. En dus maakten we een wandeling. Nergens heen, gewoon een beetje lopen. Veel gepraat werd er ook niet meer. Mijn hersenen waren te druk met verwerken van wat hij me verteld had, over ontslag nemen, over blijven, over hoe hij over me dacht.

Hoe ik het ook probeerde, ik snapte er niets van. Het kon gewoon niet, dat hij vanwege mij was gebleven. Waarom zou hij dat doen? Waarom zou hij dat *voor mij* doen?

In mijn hoofd bleef ik maar herhalen wat hij gezegd had, over niet verder kunnen, over nergens anders meer passen. Ik denk dat ik geschokt was dat deze kerel, die altijd alles zo onder controle leek te hebben, zich misschien wel hetzelfde voelde als ik.

Aan de ene kant hield ik er nog rekening mee dat hij loog, enkel om mij op te beuren, maar aan de andere kant geloofde ik hem echt. Wat hij gezegd had en vooral hoe hij het gezegd had, had oprecht geklonken. Een beetje verdrietig ook, vanwege het besef dat hij vast zat, geen kant op kon.

Terwijl we weer richting het tehuis liepen, voelde ik de vermoeidheid van mijn lichaam, voelde ik hoe de emoties van die dag en het constante gepieker eindelijk hun tol eisten. Het was nog maar acht uur, maar ik was kapot. Het enige wat ik nog wilde waren mijn bed en de vale sterren.

'Waarom ga je niet lekker naar huis, Ronnie?', zei ik tegen hem, terwijl we naar binnen liepen. 'Ik meen het, ik ga nu toch pitten. Voor mij hoef je niet te blijven.'

'Ik weet dat dat niet hoeft, maar ik blijf toch. En voordat je weer wat zegt, ik weet dat je geen babysitter nodig hebt, dus ga nu maar gauw naar boven en naar je bed, voordat ik je nog een verhaaltje probeer voor te lezen.'

De uren daarna in bed bracht ik door in een soort halfslaap, sluimerend en dromend, iedereen kwam bij me op bezoek: de tweeling, Ronnie, Annie, maatschappelijk werkers uit een grijs verleden, iedereen kwam en ging weer, vertelde me dat ik me geen zorgen moest maken, dat alles goed zou komen. En ik vond het allemaal prima, totdat Shaun steeds dezelfde woorden in mijn oor begon te fluisteren: *Het is al goed, het is al goed, papa is hier…*

Op dat moment schoot ik overeind en zag het schermpje van mijn telefoon groen oplichten in het donker.

'1 Nieuw bericht', stond er, en even durfde ik het niet te openen, omdat ik bang was dat het van Shaun was, die mij nog meer dingen wilde toefluisteren.

Ik schudde mijn hoofd om de gedachte kwijt te raken en pakte de telefoon op, in de hoop dat het de tweeling was, hoewel ik niet goed wist wat ik hoopte dat ze zouden zeggen.

Maar toen ik het bericht geopend had zag ik Daisy's naam en woorden, die hoop boden op morgen:

*Alls ok? Mst aan je dnkn. Mrgn wr drnkn?*

Ik liet me weer achterover op bed vallen, terwijl mijn vingers een snel antwoord typten:

*Perfect.*

Ik legde de telefoon op mijn borst en haalde diep adem. Misschien dat Daisy wat antwoorden kon geven op de vragen die rondtolden in mijn hoofd.

Het enige wat ik nu nog hoefde te doen was liggen, minuten tellen en wachten op de volgende ochtend.

# 28

Niets is erger dan wakker worden met een kater. Vooral wanneer je niet eens iets gedronken hebt. Ik was alweer vroeg op, voordat er ook maar iemand anders wakker was, en had mijn dekbed mee naar de televisiekamer gesleept.

Eerst had ik naar dvd van *The Princess Bride* gezocht, die Daisy ons geleend had, maar die bleek nergens te vinden. Waarschijnlijk weer gejat door een van de tehuiskinderen, iets waar ze zeker nog spijt van zouden krijgen. Uiteindelijk nam ik dus maar genoegen met een beetje langs de kanalen zappen, hoewel ik uiteraard niets kon vinden wat me beviel. De kinderprogramma's waren een kwelling voor mijn bonkende hoofd en de muziekzenders deden niets anders dan stampende videoclips uitzenden, waardoor ik uiteindelijk bleef hangen in een herhaling van een voetbalwedstrijd van de vorige avond.

Het zorgde in elk geval voor een beetje afleiding. Maar hoeveel doelpunten er ook gemaakt werden, of hoe vaak iemand ook een sliding maakte, mijn humeur werd er niet beter op.

Misschien dat het kwam door de vermoeidheid en de nu al wekenlang durende slapeloze nachten, maar de gedachten bleven maar rondtollen in mijn hoofd.

Ik was uitgeput, kwaad en verward. Wist niet meer wie ik moest geloven of hoe de toekomst eruit zou zien, en het enige wat mijn gedachten deden was onophoudelijk ronddraaien, waardoor continu dezelfde vragen voorbij bleven komen. Steeds sneller en elke keer werden die vragen luider, waardoor ik op een gegeven moment serieus dacht dat mijn hoofd eraf zou vallen. Dus nadat ik wat kleren aangeschoten en mijn telefoon gepakt had, sloop ik naar buiten, zachtjes, zodat ik Ronnie en de andere klootzakken niet wakker zou maken.

Ik begon in de trainingsruimte, in de hoop dat een half uurtje tegen de boksbal aan slaan mijn hoofd wat tot rust kon brengen, maar hoe hard ik het ook probeerde, ik had er geen plezier in en eerlijk gezegd voelde ik ook niet de behoefte om Shaun opnieuw uit te nodigen in mijn bonkende hoofd.

Toch bleef ik nog wat langer in de garage, ruimde wat op en veegde de vloer aan, alles om maar een beetje tot rust te komen, maar niks leek te werken. En dus ging ik er uiteindelijk maar vandoor, richting ons bankje, in de wetenschap dat het nu niet lang meer kon duren voordat Daisy zich zou laten zien.

Onderweg stopte ik nog even bij Jan en Grant, en toen ik zag dat hun auto niet op de oprit stond, begon mijn hart sneller te kloppen. Normaal gesproken zouden ze zo vroeg op een zondagochtend zeker nog thuis zijn en mijn humeur werd meteen beter toen ik bedacht dat ze misschien wel een lang weekend weg waren. Even speelde ik met het idee om een kijkje te gaan nemen, maar de straat begon net langzaam te ontwaken en bij het zien van de eerste zondagochtend-autowassers besloot ik het er toch maar niet op te wagen en slenterde ik verder, wetende dat ik later wel terug zou komen.

Het voelde goed om op het bankje te zitten, ik was opgelucht dat ik weg was uit het tehuis, en Daisy reageerde al snel op het berichtje, dat ik haar stuurde.

Binnen een half uur zag ik haar op me afkomen, peuk in de hand zoals altijd, en zo te zien in een goede bui. Sterker nog, ze begroette me zelfs met een omhelzing, waarmee ik niet zo goed raad wist, waardoor ik maar gewoon net zolang vast bleef houden als zij, met mijn armen op dezelfde hoogte als die van haar.

'Nou,' zei ze, 'hoe ging het?'

Ik zuchtte diep, wist niet wat ik moest zeggen.

'Was het zo erg?'

'O, man, ik weet niet waar ik moet beginnen. Het was het moei-lijkste, wat ik ooit heb moeten doen. Ik stond daar maar en moest ze bijna dwingen om met haar mee te gaan. Louie had het niet meer. Waarschijnlijk dachten ze dat ik ze echt kwijt wilde.'

'Doe niet zo stom. Ze weten heus wel hoe jij je voelt. En boven-dien, wat had je dan moeten doen? Uiteindelijk moesten ze toch mee. Wat was het alternatief? Dat Ronnie ze trappend en schreeu-wend naar de auto gedragen had?'

'Maar het maakt het er niet makkelijker op, weet je? Mijn hoofd voelt alsof het door de mangel gehaald is. En ik heb geen idee hoe het nu verder moet.'

De volgende vijftien minuten vertelde ik haar over de vorige dag en Daisy zat zwijgend en rokend te luisteren.

'Wat heb ik je gezegd over die Ronnie?' zegt ze, terwijl ze me met haar aansteker in de ribben port. 'Ik zei je toch dat hij anders is dan je dacht? En jij hem maar afkraken, telkens weer, terwijl nu blijkt dat jij nota bene de reden was dat hij gebleven is. Luister naar me, Bill. Die man geeft om je en dat kan je toch niet on-beroerd laten, of wel?'

'Wat me nog het meest verbaasde, was wat hij zei over nergens anders meer passen. Ik had geen idee dat hij zich zo zou voelen. Ik bedoel, hij is de Kolonel!'

'Maar dat hoeft nog niet te betekenen dat hij geen gevoelens heeft, of wel? Jij bent niet de enige die zich wel eens rot voelt, hoor!'

'Dat weet ik heus wel,' zeg ik, 'maar zodra hij dat bekende had ik het liefst geroepen, *Zo voelde ik me ook!*'

'Hoe bedoel je?'

'Nou, je weet wel, toen het mislukte met die adoptie. Hoe ik ook probeerde om anderen de schuld te geven, ik wist dat het *mijn* fout was. Ik paste daar gewoon niet. Het was gewoon, ik weet niet, te anders.'

'Hoe, anders?'

'Het enige wat ik me kan herinneren, mijn hele leven al, is

samenwonen met heel veel andere kinderen. In het tehuis zijn we altijd tenminste met zijn tienen. Dus toen ik daar in dat nieuwe huis kwam en alleen met die twee volwassenen zat, ik weet niet, ik snapte er gewoon niets meer van.'

'En vertelde je ze dan niet hoe je je voelde?'

'Dat kon ik toch niet? Dan zouden ze gedacht hebben dat ik hartstikke gek was. En ze deden echt hun best. Alles, wat ze voor me kochten, was splinternieuw. Ik kreeg nieuwe kleren, een nieuwe computer, alles even mooi, maar ik wist gewoon niet wat ik ermee moest. Zoiets overkomt ons soort kinderen niet, snap je? Wij krijgen normaal gesproken alleen maar tweedehandsjes en afgekeurde spullen.'

'Maar daar kon jij toch niets aan doen, Billy, dat het je allemaal wat verwarde.'

'Tja, maar ik reageerde er helemaal verkeerd op. Hoe harder zij probeerden, hoe harder ik me verzette. Het was alsof ik hun toewijding wilde testen, alsof ik ze wilde laten zien dat ik het allemaal niet waard was. Wanneer ze me lieten kiezen wat ik wilde doen of eten, dan weigerde ik te antwoorden, soms om ze te testen, maar soms ook gewoon omdat ik niet wist wat ik moest zeggen. Het ene moment had ik geen enkele keus en het volgend moment had ik opeens veel te veel keuzes, mijn hoofd kon het gewoon niet bijhouden.'

'En is dat waarom het fout liep?'

Ik krimp ineen bij de herinnering. *Was het maar zo eenvoudig geweest.*

'Niet helemaal.'

'Wat was dan het probleem?'

Ik bijt op de binnenkant van mijn wang, weet dat ik me nu op gevaarlijk terrein begeef.

'Kom op, Bill, mij kun je het wel vertellen. Dat weet je toch.'

Mijn hele lichaam verstijft bij de gedachte.

'Geloof me, je wilt het niet weten.'

'Ik geloof je ook, idioot. Daarom breng ik zoveel tijd met je door. Laten we eerlijk zijn, voor je geld hoef ik het niet te doen, of wel?'

Ik weet wat ze probeert te doen, maar mij aan het lachen krijgen maakt het er niet makkelijker op en na een pijnlijke stilte gaat ze verder.

'Luister, Bill. Ik weet dat je me al heel veel verteld hebt en ik vind het echt geweldig dat je dat gedaan hebt. En ik weet ook heel goed dat ik zelf nog maar heel weinig losgelaten heb, over mij en zo. Maar dat is niet omdat ik je niet vertrouw, dat komt gewoon omdat er dingen met mij gebeurd zijn in het verleden, die ik eerst zelf op een rijtje wil zetten. Wat ik probeer te zeggen, is dat ook ik heel lang gedacht heb dat ik daar zelf schuldig aan was. Ik kon niet accepteren dat het de schuld van iemand anders kon zijn. En dus kropte ik het allemaal op en wilde er met niemand over praten, waardoor het allemaal alleen maar erger werd, geloof me.'

'Maar ik heb iets vreselijks gedaan, Daisy...'

'Luister, er is echt niks waar ik nog van schrik, geloof me. Ik heb me heel lang verantwoordelijk gevoeld voor *de dood* van mijn ouders. Hoor je me, Billy? Dacht dat het mijn schuld was. Pas toen ik er eindelijk met iemand over durfde te praten, begon het tot me door te dringen dat het misschien helemaal niet mijn fout geweest was.'

'Lieve help, Daisy, dat wist ik niet.'

'Waarom zou je ook? Het is net zoals met Ronnie, allemaal hebben we wel dingetjes waar we mee zitten. Het belangrijkste is, dat je ze niet probeert te negeren of weg te stoppen. Je moet ermee dealen, anders kom je nooit verder, geloof me. Dus wat het ook is wat je gedaan hebt, of denkt dat je gedaan hebt, ik kan er tegen. Echt.'

'Ik heb hem bijna vermoord,' flap ik eruit, voordat ik er erg in heb. 'Mijn pleegvader. Ik heb geprobeerd hem te vermoorden.'

Ik blijf haar aankijken, terwijl ik de woorden zeg, benieuwd naar haar reactie. Ik zoek naar emotie, naar een beweging van de mond, of het ontwijken van oogcontact, waardoor ik zou weten dat ik te ver gegaan ben.

Maar er gebeurt niets, het is nog steeds hetzelfde meisje dat me daar met glanzende ogen zit aan te kijken.

'Wat gebeurde er? Het is oké. Ik ben er nog, of niet soms?'

'Ik woonde er inmiddels een maand of vijf, zes, en het was niet makkelijk maar ik deed m'n best, weet je? Soms moest ik m'n woede even kwijt en bekraste ik een auto of zo, maar die dingen wisten ze al voordat ik bij ze introk. Ze wisten waar ze aan begonnen. Ik begon me er thuis te voelen, dacht zelfs dat ze misschien wel blij waren met me. Ik had een geweldige kamer... die had je moeten zien. Niet heel groot of zo, maar ik had een tv, een stereo-installatie en het meest comfortabele bed dat je je maar kunt voorstellen. Ik sliep er heerlijk en dat was nog nooit voorgekomen, niet voor zover ik me kon herinneren tenminste. Ik sloot gewoon mijn ogen en het volgende moment, beng, was het alweer ochtend. Geweldig.'

'Zo klinkt het ook,' antwoordt ze, terwijl ze me nog steeds aankijkt.

'Het was ook echt een leuk stel. Een beetje vastgeroest in hun gewoontes misschien, maar heel fatsoenlijk, weet je? Elke woensdagavond ging hij naar de pub, samen met wat vrienden. Op een van die avonden zaten mijn pleegmoeder en ik naar een film te kijken. Ze had popcorn gemaakt en mij een enorm glas cola ingeschonken. Maar halverwege de avond viel ik al op de bank in slaap, waardoor ik van die film weinig meegekregen heb.'

Ik zwijg even, onzeker over hoe ik verder moet gaan, zonder dat het te afschuwelijk zou klinken.

'Het is goed, Billy, echt. Je kunt het mij vertellen.'

'Van wat er vervolgens gebeurde, kan ik me weinig meer herinneren. Sommige dingen weet ik nog, zij het slechts vaag, alleen wat beelden en stemmen. Waarschijnlijk kwam hij een paar uur later thuis, waar hij ons slapend aantrof. Zij in de stoel en ik op de bank. Ik denk dat hij me wilde optillen om me naar boven, naar bed te brengen, en toen gebeurde het.'

'Wat gebeurde er, Bill?'

Ik kan haar niet langer aankijken.

'Ik vloog hem aan, natuurlijk. Ik bedoel, het ene moment lig ik nog te slapen en het volgende moment leunt er iemand over me heen, stinkend naar whisky. Ik flipte. Het volgende wat ik me kan herinneren is dat we allebei op de grond lagen en ik met mijn lege glas op hem in sloeg. Hoe vaak precies, weet ik niet, maar het moet behoorlijk vaak geweest zijn, want het glas was op een gegeven moment gebroken en overal zat bloed, we zaten er allebei onder. En toen werd zij wakker en trok me daar weg.'

Ik haal mijn handen door mijn haar en sluit mijn ogen, geschokt door mijn eigen verhaal, door hoe het moet hebben geklonken.

'Ik was het niet van plan, Daisy, echt niet. Maar ik wist niet dat hij het was. Ik dacht dat het...'

'Wie?' fluistert ze. 'Wie dacht je dat het was?'

'Ik dacht dat het Shaun was. De vriend van mijn moeder. Die verdween soms dagen achter elkaar. Waardoor m'n moeder door het lint ging en zich helemaal bezoop, en ik maar voor mezelf moest zien te zorgen. Meestal viel ik 's avonds naast haar op de bank in slaap, waar hij me dan uiteindelijk aantrof wanneer hij eindelijk weer thuis kwam, vol whisky.'

'Lieve help, Billy. En wat gebeurde er dan?'

'Nou ja, je weet wel. Dan reageerde hij zijn frustraties af op mij. Meestal duurde dat niet lang, omdat hij gewoon te bezopen was, maar soms, wanneer hij sober genoeg was om zijn riem te gebruiken, nou ja, dan was het wat minder leuk.'

Daisy schuift wat dichter naar me toe en legt haar handen in die van mij.

'Geen wonder dat je reageerde, zoals je deed. Dat snap je zelf toch ook wel, of niet? Het was niet jouw schuld, Billy.'

'Maar dat maakt niet uit, of wel soms? Daarmee was het gedaan, einde verhaal. Hij moest naar het ziekenhuis en binnen twee uur stond de politie al mijn spullen in vuilniszakken te proppen. En nog een uurtje later zat ik in Ronnies auto, op weg naar huis.'

'En heb je ze daarna nog een keer gezien? Dat echtpaar, bedoel ik?'

'O, ja, de klootzakken hadden een paar weken later alweer een ontmoeting geregeld. Niet bij hun thuis, maar in zo'n centrum.

Het leek er wel een gesticht, alleen maar zachte meubels en af-
geronde hoeken. Alsof ze bang waren dat ik ze weer wat aan zou
doen. Maar ze bleven vriendelijk, zeiden dat het gewoon niet
werkte, dat het net zo goed hun fout was als die van mij. Allemaal
lulkoek natuurlijk. Ik was tenslotte niet degene met het kapot geslagen gezicht, of wel?'
'En dat was het, over en uit?'
'Op wat kerst- en verjaardagskaarten na, ja. Niet dat hij die stuurt.
Dat doet zij altijd. En ik kan het hem niet kwalijk nemen.'
'Nee, jij neemt het jezelf kwalijk.'
'Wat moet ik anders, Daisy? Ik was degene die over de rooie ging,
niet hij.'
'Maar met een reden, Bill. Luister, je moet hier met iemand over
praten. Met iemand, die je ermee kan helpen.'
'Wat kunnen die doen? Het is gebeurd. Het is nu te laat om er
nog wat aan te veranderen.'
'Dat weet ik. Maar het is niet te laat om te veranderen hoe je je
erdoor voelt. Zij kunnen het voor je in perspectief zetten. Zodat
je ziet dat het je er niks aan kon doen.'
Ik adem langzaam uit door mijn mond, plotseling uitgeput.
'Weet je wat ik wil, Daisy? Meer dan wat dan ook?'
'Nou?'
'Ik wil gewoon slapen. Slapen zoals ik bij hun sliep, meer niet.'
Ze trekt mijn hoofd tegen haar schouder en slaat haar armen om
me heen, waarbij ze zo voorzichtig doet, dat je zou denken dat ze
bang is dat ik anders zou breken.

# 29

Het laatste waaraan ik behoefte had, was nog meer stof tot nadenken, maar aangekomen bij het huis van Jan en Grant werd ik
geconfronteerd met een lastige keuze.

De auto stond nog altijd niet op de oprit en alle lampen in huis waren uit. Waar was het licht in de gang?

Ik wist niet wat ik ervan moest denken en met een hoofd dat nog steeds nabonkte van alle drank en mijn eerdere bekentenis aan Daisy, was ik niet in staat om tot een besluit te komen.

De rest van de dag hadden we samen doorgebracht, struinend door de stad, kijkend naar wat dvd's die ze wilde kopen, enkel om de tijd te doden totdat het wat drukker zou zijn in de pubs. Braaf was ik achter haar aangelopen, terwijl ik me probeerde te concentreren op wat ze zei, hoewel ik er met mijn gedachten totaal niet bij was.

Vertellen over Shaun, hem loslaten uit mijn hoofd, voelde gevaarlijk, alsof hij ons vanuit de schaduwen stond te begluren. Het gesprek had me in elk geval niet geholpen, sterker nog, ik voelde me nu eigenlijk alleen nog maar beroerder: rauw en gewond en alles behalve kalm.

Maar de kroegentocht had wel geholpen, en net zoals de vorige keer was Daisy weer in topvorm geweest. Omdat het zondagmiddag was, zaten alle biertuinen helemaal vol, waardoor wij niet zo snel opvielen. Tot vroeg in de avond waren we onderweg van pub naar pub, drank jattend waar we konden, en het bier had er zeker voor gezorgd dat ik me niet meer zo belabberd voelde.

Maar nu, twee uur nadat we afscheid genomen hebben, is de zon verdwenen, is het bier uitgewerkt en is de angst weer gaan knagen. Ik heb totaal geen zin om naar huis te gaan om daar de rest van de avond in mijn lege kamer door te moeten brengen, en dus ben ik langzaam richting mijn oude huis gelopen, enkel om te ontdekken dat daar nog altijd niemand thuis is.

Mijn hand beeft van de zenuwen, wanneer ik op zoek ga naar de huissleutel. Ik wil niets liever dan naar binnen, heb behoefte aan de troost van mijn oude kamer, het comfort van mijn oude bed, ook al is het maar voor een minuut of twee. Ik tuur de straat af, controleer of ze niet misschien hun oude Escort ergens anders geparkeerd hebben, maar ik zie niets.

Toch aarzel ik nog steeds, door de afwezigheid van de ganglamp ben ik er niet helemaal gerust op.

Ik weeg mijn opties tegen elkaar af. Het is riskant en dat weet ik, maar ik wil het zo graag, dat ik uiteindelijk toch de oprit oploop en de sleutel in het slot steek, voordat ik van gedachten kan veranderen.

Ik sluip door de gang, waarbij ik een snelle blik in de keuken en woonkamer werp, om te constateren dat die allebei leeg zijn. Even vraag ik me af of ik mijn gymschoenen uit moet trekken, maar omdat ik er snel vandoor wil kunnen gaan, mocht dat nodig zijn, besluit ik ze toch maar aan te houden en loop richting de trap.

Het huis ruikt heerlijk. In het tehuis ruikt het toch altijd een beetje naar ontsmettingsmiddelen, waardoor het meer weg heeft van een school of ziekenhuis, maar hier ruik je het eten uit de keuken, de was die boven de verwarming te drogen hangt.

Nadat ik de badkamer en hun slaapkamer gecontroleerd heb, ga ik op weg naar mijn oude kamer. Ik pauzeer even voordat ik de deur open en naar het bedlampje erachter tast.

Ik druk op het knopje en een moment lang denk ik dat ik in de verkeerde kamer sta. Alles is anders. De lichte muren en beddensprei van mijn laatste bezoek zijn verdwenen. In plaats daarvan kijk ik nu naar paars geverfde muren, behangen met vage posters en foto's.

Met een misselijk gevoel bekijk ik de kamer. Het bed is bedekt met een paarse sprei en tegen het hoofdeinde liggen wel zo'n tien kussens opgestapeld. Mijn oude tv en stereo zijn er nog, maar nu staat er ook een dvd-speler, met daarnaast een slordige stapel films. Ik bekijk ze even, alsof de titels mijn vragen over de kamer zouden kunnen beantwoorden. Maar uiteraard heb ik er niks aan. Mijn hoofd tolt terwijl ik redenen probeer te bedenken, waarom de kamer er plotseling zo uitziet. Misschien zijn Jan en Grant uit elkaar en slaapt zij nu hier of misschien zitten ze krap bij kas en hebben ze de kamer verhuurd. Maar hoe graag ik het ook wil, ik weet dat dat niet het geval is. Ja, er slaapt inderdaad iemand anders in de kamer nu, maar het is geen volwassene, en mijn hart slaat een slag over als het besef tot me doordringt. Ze hebben iemand anders in huis opgenomen.

Ik laat alle behoedzaamheid varen en begin de kamer overhoop te halen. Er moet hier iets zijn wat me kan vertellen wie er nu in deze kamer slaapt. Misschien is het wel iemand van school of, erger nog, een van de andere kinderen uit het tehuis? Wie het ook is, ik moet erachter komen, zodat ik diegene kan laten boeten voor het inpikken van mijn kamer.

En dan zie ik iets op de vensterbank.

Het is een camera. Het type dat zowel voor filmen als voor fotograferen gebruikt kan worden.

Het beven van mijn hand wordt erger, als ik hem oppak. Met mijn andere hand grijp ik naar de dvd's die erachter liggen, terwijl mijn ogen de woorden lezen, die op de doosjes geschreven staan: 'Pap – Kerst 2007', 'Aan het meer – 2006'.

En vervolgens het doosje, dat mijn hart doet stoppen: 'Louie en Lizzie – levensverhaalboek'.

Ik geloof dat ik moest lachen toen ik het las. Omdat het gewoon te belachelijk voor woorden is. Pas wanneer ik de dvd in de camera stop en op play druk, houd ik op met lachen. Want daar, op het kleine schermpje, zie ik mezelf, in de kamer van de tweeling.

Met een schreeuw gooi ik de camera tegen de muur, maar tegen de tijd dat hij in stukken op het bed valt, vermengt de woede zich al met tranen.

Ik ren naar de muur bij het bed, waarop allemaal foto's geplakt zijn. En daar weet ik het zeker. Omdat het allemaal foto's zijn van Daisy.

Glimlachend.

Tegen de tijd dat ik bij de tiende foto aangekomen ben, glimlacht ze niet meer maar lacht ze uitbundig en na nog een paar foto's had ze net zo goed haar middelvinger naar me op kunnen steken. Ik scheur de foto's een voor een van de muur en smijt ze op de grond.

De laatste foto toont Daisy samen met een man, arm in arm. Daisy ziet er anders uit, echt gelukkig, maar de man, vermoedelijk haar vader, heeft dezelfde gezichtsuitdrukking die ik inmiddels ook van haar zo goed ken. Hij kijkt afwezig en in zijn ogen is verdriet te lezen.

Ik verfrommel de foto, niet in staat om ook maar enige sympathie op te brengen voor haar of haar familie.

Al die maanden had ze daar op het bankje gezeten, luisterend naar mij, terwijl ik haar alles vertelde wat er maar over mijn leven te vertellen was, en al die tijd had ze hier gewoond. Niet bij *vrienden*, zoals ze beweerd had, maar hier. Slapend in mijn bed veroorzaakt ze een steeds diepere kloof tussen mij en mijn pleegouders. Ik denk terug aan ons gesprek van eerder die dag. Toen ik haar verteld had over wat ik Grant aangedaan had; ik moest hun namen genoemd hebben, ze moest geweten hebben over wie ik het had.

Waarom had ze dan niks gezegd?

Hoe had ze de rest van de dag nog over allerlei onzin kunnen praten en met me kunnen drinken, terwijl ze wist dat ze ingetrokken was bij de mensen, die mij alles beloofd hadden?

Met mijn voet trap ik het nachtkastje kapot, waarna ik het bed omvergooi en de kussens alle kanten op vliegen.

Ik sta net de wat grotere stukken camera in de vloerbedekking te trappen, als ik beneden de deur dicht hoor slaan. Waarschijnlijk had ik bang moeten zijn, maar er vandoor gaan was nu wel het laatste, waaraan ik dacht. Na alles wat er gebeurd was, na alle gesprekken en alle beloftes van er voor me zijn, bleek ze uiteindelijk net zoals de rest. Erger nog zelfs. Ze wist wat deze plek voor me betekende, maar toch had ze hem afgepikt.

Dus waarom zou ik er vandoor gaan? In plaats daarvan loop ik naar de overloop en daal langzaam de trap af.

Daar staan ze, het gelukkige gezinnetje, terwijl ze hun schoenen uittrekken bij de voordeur.

Jan ziet me als eerste en kijkt me aan alsof ik een geestverschijning ben.

Grant kijkt op, wanneer hij haar naar adem hoort snakken, en even denk ik dat hij de trap op wil stormen om me onderuit te halen. Wanneer Daisy er niet geweest was, denk ik ook echt dat hij het gedaan zou hebben.

Het duurt even voordat ze beseft wat er aan de hand is en dus loop ik verder de trap af, terwijl ik de tot een bal verfrommelde foto van haar vader naar haar toe smijt.

'Billy?' fluistert ze. 'Wat doe jij hier?'

Ik zie hoe Grant naast haar verstijft bij het horen van mijn naam, terwijl Jans handen verrast naar haar mond vliegen.

'Kennen jullie elkaar?' roept ze. 'Daisy? Hoe ken jij Billy?'

'School,' fluistert Daisy, niet in staat om meer uit te brengen, wat mij de gelegenheid geeft om me ermee te bemoeien.

'Is dat niet leuk? Waarom stel je me niet even voor aan je *vrienden*, Daisy?'

Ik zwijg, net lang genoeg om de verbittering in mijn stem te laten kruipen. 'Weet je wat, laat ook maar. We kennen elkaar tenslotte al.'

Daisy's ogen schieten naar Jan en Grant, alsof ze probeert te begrijpen wat er aan de hand is.

*Alsof ze dat niet wist.*

'Vertel eens, hoe lang hebben ze jou beloofd dat je mag blijven?' vraag ik bijtend. 'O, laat me raden. Ze gaan je zeker adopteren? Nou, ze hebben in elk geval werk gemaakt van je kamer. Ik herkende hem amper. Heel wat mooier dan hoe hij in mijn tijd was.'

'Billy?' jammert Daisy, terwijl ze de twee volwassenen aan blijft kijken. Tjonge, wat kon die acteren. 'Ik wist het echt niet. Hoe kon ik nou weten dat zij…'

'Doe geen moeite. Dacht je soms dat ik achterlijk was of zo? Wat moet jij je rot gelachen hebben de afgelopen maanden. Maar vertel eens, waarom deed je het? Wat ben jij voor gestoord iemand?'

'Zo is het GENOEG, Billy,' dondert Grant, terwijl hij tussen ons in komt staan. 'Als er hier iemand zich gestoord gedraagt, ben jij dat wel. Wat kom je hier eigenlijk doen? Hoe ben je in vredesnaam binnen gekomen?'

Ik smijt de sleutel naar hem toe, die afketst tegen zijn schouder. Ik zie hoe woedend hij is en zet me al schrap voor zijn aanval, die ook zeker gekomen zou zijn, als Jan hem niet bij zijn arm gepakt had.

'Maar weet je?' roept hij, zijn gezicht inmiddels knalrood. 'We hadden natuurlijk ook kunnen weten dat jij het was. Elke keer dat Daisy thuis gekomen was na een afspraakje met die 'vriend', stinkend naar de drank, had er een lichtje moeten gaan branden!'

'O, ja, natuurlijk. Ik was het die haar op het verkeerde pad bracht. Door mij is ze gaan roken en ik heb haar geleerd om bier te stelen in pubs. Want ik ben zo slecht. Helemaal verpest. En dat heb je altijd al geweten, nietwaar?'

'Billy?' Dit keer is het Jan. 'We hebben jou nooit verpest genoemd, dat weet je best. Toen het mis ging, was het voor ons net zo goed moeilijk. Dat moet je geloven.'

'Natuurlijk. Het moet afschuwelijk geweest zijn voor jullie om hier in jullie comfortabele huis achter te blijven. Ik weet echt niet hoe jullie dat aan konden, echt niet.'

'Dat konden we ook niet, Billy, snap je dat dan niet? Maar we hadden geen andere keus. Je had Grant het ziekenhuis in geslagen. Hij had wel tien hechtingen nodig in zijn gezicht. Wanneer je het glas een paar centimeter lager gericht had, had hij dood kunnen zijn!'

'Tja, dan had ik misschien toch wat beter moeten richten, of niet?' Daisy doet een stap naar voren en pakt de verfrommelde foto op van de onderste traptrede, waarna ze hem met bevende handen probeert glad te strijken.

'Ik had het heus wel begrepen,' roep ik naar haar. 'Wanneer je het me gewoon verteld had, dan had ik het echt wel begrepen!'

Maar ze durft me niet eens aan te kijken. Het enige wat ze kan, is staren naar de foto en er overheen wrijven.

'Kijk me aan wanneer ik tegen je praat. Waarom heb je het me niet verteld? Ik dacht dat we vrienden waren. Je zei dat ik je kon vertrouwen. Ik heb je alles verteld!'

Maar ik ben haar kwijt. Opnieuw volledig in zichzelf gekeerd draait ze zich om en loopt richting de keuken, op de hielen gevolgd door Grant.

'Billy?' zegt Jan weer. 'Billy. Kom naar beneden en praat met ons.' Ze strekt haar hand naar me uit en kijkt me smekend aan, alsof zij degene is die leed, en niet ik.

'Ik dacht het niet,' antwoord ik, mijn stem zo hard als steen. 'Jullie hebben je keus gemaakt. Wat valt er nog te zeggen?'

'Ik zie dat je geschrokken bent, we zijn allemaal geschrokken. Laten we er dus even over praten, oké? Daisy heeft behoorlijk wat meegemaakt de laatste tijd. Het is nog maar een jaar geleden dat haar vader overleed en ze heeft het er nog altijd heel moeilijk mee. Grant en ik waren zo blij dat ze een vriend gevonden had, ze leek zoveel gelukkiger de laatste tijd.'

Ik probeer een spottend snuifgeluid te maken, maar het klinkt eerder zielig.

'Het is echt waar. Maar we konden natuurlijk niet weten dat jij het was, of wel soms? Net zoals zij niet kon weten dat jij hier eerst gewoond had. Kom op, Bill, kom naar beneden zodat we erover kunnen praten. Alsjeblieft?'

Zonder er nog over na te denken begin ik de trap verder af te lopen en wanneer ik dichterbij kom, zie ik de eerste traan over haar wang glijden.

Ze slaat haar armen om me heen en ik laat mijn hoofd op haar schouder rusten, terwijl ook bij mij de tranen weer prikken en oude wonden geopend worden.

Ik voel zoveel woede, dat mijn hoofd er pijn van doet. Het is allemaal zo'n zooitje. Hoe had het ooit zo ver kunnen komen?

Terwijl mijn ademhaling langzaam rustiger wordt, zie ik Grant ijsberen in de keuken, een telefoon tegen zijn oor aangedrukt. Jan staat nog altijd tegen me te fluisteren, zegt dat alles goed zou komen, maar ik hoor haar al niet meer, omdat op dat moment Grants stem mij bereikt.

'Precies, 56 Walton Street. Wat? Ja, dat klopt… Nee, we hebben hem hier… We betrapten hem op heterdaad… Wanneer jullie hier zijn leggen we het wel verder uit.'

Bruusk duw ik Jan van me af, waardoor ze op haar rug op de grond valt. Haar hoofd stoot tegen de radiator en even kijkt ze beduusd, totdat ze de telefoon in de hand van haar echtgenoot ziet.

'O, Grant,' jammert ze. 'Wat heb je gedaan?'

Ik wacht niet meer op het antwoord, weet dat de smerissen er binnen enkele minuten zullen zijn.

Vliegensvlug draai ik me om en ren naar de deur, onderweg de autosleutels van het gangtafeltje grissend.

# 30

Geloof het of niet, maar ik was blij toen ik de auto de straat uit reed. Blij, dat Grant de auto achteruit op de oprit geparkeerd had, waardoor ik me niet bezig hoefde te houden met achteruitrijden. En blij omdat Jan zo'n slechte chauffeur was. Grant maakte er altijd grapjes over, zei dat de auto uit zichzelf na een paar mijl alweer naar huis wilde, wanneer zij achter het stuur zat. Dat was ook de reden dat hij een automaat gekocht had, wat voor mij nu eigenlijk niet veel meer dan het besturen van een botsautootje. Het enige wat ik hoefde te doen was gas geven.

Ik had geen idee waar ik heen reed, maar wist wel dat ik snel moest zijn. De smerissen zouden binnen enkele minuten op de stoep staan, helemaal wanneer Grant erachter zou komen dat zijn auto verdwenen was. Ik wist dat ik ze nooit voor zou kunnen blijven, niet in deze auto en niet met zeker vijf biertjes achter de kiezen.

Met mijn blik zowel in de achteruitkijkspiegel als op de weg voor me, keek ik uit naar een afrit en was blij toen de eerstvolgende naar een winkelcentrum bij de rivier bleek te leiden.

Ik trapte hard op de rem en voelde de auto onder me schuiven, maar wist hem overeind te houden, zij het met piepende banden.

Gelukkig was het droog weer, wie weet waar de auto anders heen geslipt zou zijn?

Terwijl ik een minirotonde naderde, zocht ik de omgeving af naar een fatsoenlijke plek om de auto te dumpen.

Alle parkeerplaatsen waren praktisch leeg, wat ook niet verwonderlijk was, gezien het late uur, maar ik had een plekje nodig dat een beetje verscholen lag. Zolang de smerissen de auto niet konden vinden, was de kans ook kleiner dat ze mij te pakken zouden krijgen.

Na een paar minuten zag ik het, een bord met de woorden 'goederenafgifte'. Perfect. Op dit tijdstip zou er zeker niemand staan te lossen en aangezien het terrein zich achter het warenhuis bevond, zou de auto waarschijnlijk ook niet voor de volgende dag gevonden worden. Ik minderde snelheid, terwijl ik om het gebouw heen reed en schakelde toen ook de verlichting uit.

Op zo'n dertig meter voor de grote roldeuren stopte ik, maar ik liet de motor nog even draaien, terwijl het langzaam tot me doordrong wat ik zojuist gedaan had. De auto was dan misschien heel gebleven, maar mijn kans op een fatsoenlijke toekomst had ik hiermee zeker verknald. Met de politie onderweg en Grant die niets liever wilde dan mij erbij te lappen, kon ik een verder verblijf in het tehuis wel op mijn buik schrijven, of in wat voor therapeutische instelling dan ook. Op dit soort vergrijpen stond jeugdinrichting. Ik dacht erover na. Wat was eigenlijk het verschil tussen een tehuis en jeugdinrichting? Los van het feit, dat je kamerdeur aan het eind van de dag op slot gedraaid werd, was er volgens mij niet echt veel verschil. Allebei waren het gevangenissen.

Terwijl ik mijn hoofd op het stuur legde, probeerde ik te bedenken wat ik moest doen, maar het was hopeloos. Ik kon geen enkele optie bedenken waarbij de politie niet betrokken zou zijn. Of ik nu terug naar het tehuis ging, wegliep, of terug reed naar Jan en Grant om me aan te geven, in alle gevallen zouden ze me oppakken.

Mijn hoofd tolde van alle gebeurtenissen van de afgelopen uren en de schaamte, omdat Daisy me al die tijd om de tuin geleid had. Ik kon niet snappen waarom. Wat had ze eraan om tegen me te liegen? Ik dacht aan alle dingen die ik haar verteld had. De geheimen die ik met haar gedeeld had. De klootzakken waren bij wijze van spreken duizenden jaren bezig geweest om mij over Shaun en thuis te laten praten, en wat deed ik? Ik gooide het er allemaal uit bij iemand die net zo verknipt was als ik.

Hoe ik de zaak ook bekeek, dit was echt de laatste druppel geweest. Iedereen had me bedonderd. De maatschappelijk werkers, Annie, zelfs Ronnie. Allemaal hadden ze samengewerkt om me zover te krijgen: alleen en op weg naar de gevangenis.

Dus wat maakte het nog uit? Waarom zou ik mezelf nog aangeven? Ik had het keer op keer gezien bij andere tehuiskinderen. Zodra ze één keer in aanraking met justitie kwamen, gebeurde het vaker, en voordat ze er erg in hadden zaten ze in de gevangenis.

Het idee alleen al maakte me doodsbang. Ik besefte dat ik hoogst waarschijnlijk nu diezelfde richting opging en ik wist dat, ondanks alle kopstoten en beledigingen die ik uitgedeeld had, ik het absoluut niet aan zou kunnen.

Ik voel de motor onder mijn voet grommen en mijn blik glijdt naar de roldeuren, die nu nog maar enkele meters van me verwijderd zijn. Ik probeer te berekenen hoe snel ik zou moeten rijden, hoe groot de klap moet zijn om onder de gevangenis uit te komen. Behoorlijk groot, denk ik, maar in mijn verziekte gedachten lijkt het toch de moeite waard.

Ik klik de veiligheidsgordel los en voel hem terug richting de deur glijden.

Opnieuw druk ik het gaspedaal in, hoor de motor zijn goedkeuring brullen en reik naar de handrem.

Eerst denk ik nog dat mijn been trilt en ik probeer het te negeren, zie het als een moment van zwakte, maar dan realiseer ik me dat het getril afkomstig is uit mijn broekzak.

Het is mijn telefoon. Mijn eerste reactie is niets van aantrekken, het is waarschijnlijk toch Daisy of Jan, smekend om vergiffenis, of, erger nog, de politie, om me te vertellen dat ik me over moest geven.

Maar als het trillen stopt, enkel om even later weer opnieuw te beginnen, pak ik hem toch maar op en kijk naar het schermpje. Het is geen nummer dat ik ken en zeker niet het nummer van Daisy.

Ik schreeuw geïrriteerd – 'Wat? Wat wil je van me?'– wanneer een klein stemmetje boven het gebrul van de motor uit probeert te komen.

'Billy? Billy?'

Mijn voet glijdt van het gaspedaal, zodra ik de stem herken.

'Louie? Ben jij dat?'

'Billy, kun je snel komen?'

'Wat is er, Lou? Wat is er aan de hand?'

'Mijn vader,' huilt hij. 'Shaun. Hij is terug.'

# 31

Rennend volgde ik de rondweg, in de hoop dat de smerissen me op die manier minder snel in de gaten zouden krijgen.

Vermoedelijk zochten ze naar mij in de gestolen auto en verwachtten ze niet dat ik te voet was. Uiteraard had ik ook naar Annie kunnen rijden, maar het risico was gewoon te groot. Zodra ik gepakt werd zou er zeker geen kleine omweg langs Annie meer inzitten. De meeste kans had ik dus door erheen te lopen, waarbij ik zoveel mogelijk weg probeerde te blijven van de doorgaande weg.

Ik hoopte er binnen een kwartier te kunnen zijn, maar al gauw was ik behoorlijk buiten adem – ook niet verwonderlijk, na alle drank die ik op had. Toch dwong ik mijn benen voorwaarts, weigerde om te stoppen. Louies angstige stem echode nog na in mijn oor: *Haast je, Billy, haast je.*

De meest vreselijke gedachten schoten door mijn hoofd. Wat moest Shaun daar? Was Annie dit al die tijd al van plan geweest? En wat had hij al gedaan, waardoor Louie zo bang was? Met elke stap concentreerde ik me op Shauns naam en op het smalende gezicht, dat me tijdens al die bokssessies met de Kolonel achtervolgd had.

Wat hij me aangedaan had, droeg ik nu al tien jaar lang, elke dag met me mee. Het had aan me gevreten, mijn woede gevoed, ervoor gezorgd dat ik niemand en niets meer kon vertrouwen. En nu was hij terug, maar ik zou ervoor zorgen dat de geschiedenis zich niet zou herhalen met de tweeling.

De torenflats die het begin van de nieuwbouwwijk aankondigden kwamen in zicht. De straten waren verlaten, stil, op het geluid van mijn gympen op de stoep na. Het weerkaatste tegen de flats, zorgde voor een soort beat, waarop ik steeds sneller ging lopen, en pas toen ik de hoek van Forbes Ave bereikt had stond ik mezelf toe om te stoppen.

Ik legde mijn handen op mijn knieën en boog dubbel, happend naar adem. Ik wist dat ik een paar tellen nodig zou hebben om een beetje bij te komen, om na te denken over wat ik zou doen wanneer ik eindelijk voor de deur stond.

Mijn hart ging als een razende tekeer, terwijl ik over het tuinpad liep. Ik kon niet geloven dat ik hier nu toch weer was, dacht aan wat ik Annie beloofd had, dat ik nooit meer een voet in dit huis zou zetten. Maar verder had het wel geklopt wat ik gezegd had. Hier gebeurden alleen maar nare dingen. Gebukt liep ik verder, langs de voordeur, naar het grote raam. Voorzichtig kwam ik een stukje omhoog om naar binnen te kunnen gluren. Meteen zag ik hem, of beter gezegd, zijn rug, op slechts enkele meters van me verwijderd, wild zwaaiend met zijn armen, een fles whisky in zijn hand.

Ik probeer de rest van de kamer te zien, probeer erachter te komen waar de tweeling zich bevindt, of alles goed is met ze, maar ik kan ze nergens ontdekken en dus buk ik opnieuw en kruip over het pad naar de zijkant van het huis, richting de achterdeur.

Bij het naderen van de deur zie ik dat die op een kiertje staat, en mijn hart slaat een slag over. Maar ik weet dat hij me vanuit de keuken niet zal kunnen zien en dus open ik voorzichtig de deur, om meteen geconfronteerd te worden met zijn stem, nog altijd even schor als al die jaren geleden. Een stem onder invloed van drank en rook, bijna dierlijk. En eigenlijk klopt dat ook wel – hij is een beest, geen mens.

Glurend door het kiertje zie ik hem dreigend voor Annie en Lizzie staan, die dicht tegen elkaar aan gekropen in een hoekje bij de tv op de grond zitten. Ik kan niet zeggen wie banger kijkt, moeder of dochter. Annie heeft een blauwe plek bij haar lin-keroog en heeft haar armen stevig om Lizzie heen geslagen, die ineenkrimpt bij elk woord dat uit Shauns mond komt.

'Wat ik niet snap, Annie,' lalt hij, terwijl hij wilde armgebaren maakt, 'is hoe je kon denken dat ik hier niet achter zou komen. Ik bedoel, dit is niet zomaar iets. Onze baby's zijn weer thuis!'

Maar er klinkt geen vreugde in zijn stem. Elk woord is vol haat, elk woord is een kogel die afgevuurd wordt op Annie.

'Maar dat is typisch jij, nietwaar? Je was altijd al een wraakgierige trut. Wilde me toch al nooit ergens bij betrekken, of wel soms?'

En met die woorden trapt hij naar haar met zijn laars, waardoor Annie zich nog kleiner probeert te maken en Lizzie niet weet hoe snel ze achter haar moeder moet kruipen.

'Maar moet je luisteren,' gaat hij verder. 'Ik heb een plan. Ik hoef hier tenslotte niet te blijven, weet je? Ik heb inmiddels mijn eigen stekje aan de andere kant van de stad. Niks bijzonders of zo, maar ik heb wel twee slaapkamers. Genoeg plek dus voor mij en mijn zoon. Wat dacht je daarvan, zoon?' Hij slaat zijn arm om Louie heen, die blijkbaar al die tijd al voor hem gestaan heeft, uit mijn zicht. 'Een jongen heeft tenslotte zijn vader nodig, niet van die vage maatschappelijk werkers. Die weten totaal niet waar ze het over hebben!'

Ik zie Louie in elkaar krimpen, bij het voelen van Shauns arm om zijn schouder, maar naast de angst zie ik nog iets anders in zijn gezicht, iets van walging, woede ook.

'Ik ga helemaal nergens heen met jou,' zegt hij, voordat hij de arm weg slaat. 'Je bent mijn vader niet en dat zal je ook nooit zijn.'

Louie ziet de klap niet aankomen, die hem net onder zijn oog raakt, waardoor hij tegen een koffietafeltje aan valt.

Voordat ik het weet ben ik binnen en wil hem al aanvliegen, maar Annie ziet me en roept geschrokken mijn naam.

Vliegensvlug draait Shaun zich om, nog voordat ik naar hem uit kan halen, zijn van woede vertrokken gezicht plotseling verrast, terwijl zijn hersenen proberen te bevatten wat hier gebeurt.

'Lieve help,' zegt hij dan lachend, met een kwaardaardige grijns. 'Billy? Ben jij dat echt? Kijk eens aan, de hele familie weer bij elkaar.'

Wanneer mijn handen in aanraking komen met zijn borst, wordt me direct duidelijk hoe dronken hij is, aangezien hij meteen zijn evenwicht verliest en achteruit richting de bank tuimelt.

'Rustig aan, Bill,' klaagt hij. 'Zo ga je niet met je ouweheer om, hè?'

'Louie had volkomen gelijk,' snauw ik, terwijl ik naar hem wijs. 'Jij bent geen vader, niet van hem en al helemaal niet van mij.'

'Maar ik heb jou en je moeder wel opgenomen, of niet soms? Gaf jullie een dak boven jullie hoofd, iemand anders deed het niet.'

'Maar dat gaf je nog niet het recht om mij te mishandelen, of wel, Shaun? Dat gaf je nog geen reden om mij, elke keer wanneer je daar zin in had, in elkaar te slaan?'

'Het was echt niet elke avond,' jammert hij, terwijl hij overeind krabbelt. 'Maar soms moest je gewoon even gecorrigeerd worden.'

'Gecorrigeerd worden? Je sloeg me zo hard dat Annie me soms weken achter elkaar niet mee naar buiten kon nemen. Omdat ze me moest verbergen, alsof ze zich voor me schaamde.'

Ik werp een blik op Annie en zie dat de tranen haar over de wangen lopen.

'Dat was omdat ze zich inderdaad voor je schaamde. Jij was zo'n vervelend snotjoch. Lachte nooit, keek altijd chagrijnig.'

'Vind je het gek,' roep ik, 'met jou altijd in bezopen toestand?'

Hij laat een boer en neemt nog een grote slok van zijn whisky, zijn adem net zo walgelijk als hijzelf.

'Het is het enige, wat ik ooit van mijn vader geleerd heb. Goed, ik mag dan misschien geen grote daden verricht hebben, maar ik weet wel wat gehoorzaamheid is.'

Ik heb genoeg van zijn gelul. Zowel lichamelijk als geestelijk is hij alweer te veel onder invloed van de alcohol, en dus draai ik me om om Louie op te pakken, die angstig achter me staat.

Maar meteen voel ik Shauns handen op mijn schouders.

'Hé!' roept hij. 'Had ik gezegd dat je hem aan mocht raken? Blijf van mijn zoon af. Wanneer je je met hem wilt bemoeien, dan vraag je dat eerst aan mij, begrepen?'

Hij grijpt Louie en smijt hem richting Annie, voordat hij zich weer tot mij wendt.

Bij het zien van de woede in mijn ogen grijnst hij.

'O, ik snap het al. Nu je zo groot bent denk je opeens dat je je ouweheer aan kan, of niet? Plotseling durf je het aan? Nou, kom maar op dan, Billy. Waar wacht je nog op?'

Ik weet niet of hij de klap zag aankomen of niet, maar zijn reactievermogen is in elk geval niet meer snel genoeg. Met mijn rechtervuist haal ik uit naar zijn wang, maar ik voel niks, terwijl hij over de bank heen valt.

Zonder nog te aarzelen spring ik erbovenop.

Dit is het.

Dit is het moment dat ik tijdens al die sessies met Ronnie voor ogen gezien heb.

Het moment, waarop ik hem terug kan pakken.

Hem kan verwonden, zoals hij ook mij verwond had.

Maar terwijl ik me schrap zet voor een nieuwe klap, haalt ook hij uit, waarbij hij me tegen de kin raakt en ik achterover val.

Het jarenlange drankmisbruik mocht dan lichamelijk zijn tol geëist hebben, maar het had de woede in hem alleen maar groter gemaakt. Brullend staat hij over me heen gebogen en stompt me op mijn neus.

Hoewel de klap niet heel hard is, schieten de tranen in mijn ogen en ik breng mijn handen naar mijn gezicht, in een poging eventuele verdere klappen af te weren. Ik moet hem van me af zien te krijgen en dus trek ik mijn benen op naar mijn borst en zet ze vervolgens af tegen zijn lichaam, waardoor hij languit op zijn rug op de grond terecht komt. Het bloed uit mijn neus negerend spring ik er bovenop en pin zijn armen onder mijn knieën, waardoor hij aan me overgeleverd is.

'Heb je enig idee hoelang ik hierop heb gewacht?' roep ik.

Mijn ogen schieten vuur, terwijl ze de kamer afspeuren en de lamp zien die Louie op de grond gegooid heeft.

Voorzichtig leun ik naar links en pak het snoer, waarna ik de lamp naar me toe trek en de voet vastpak.

'Weet je wel hoe vaak ik er al van gedroomd heb om dit met je te doen?'

'Dacht je nu echt dat me dat ook maar iets kon schelen, Billy? Dacht je nu echt dat het me kan schelen hoe jij over me denkt? Dat heeft me nog nooit geïnteresseerd en zal het ook nooit doen. Dus, wat wil je nu, vriend. Die paar extra klappen gaan echt geen verschil maken, hoor.'

Zijn ogen rollen in zijn hoofd en ik voel hoe de alcohol ervoor zorgt dat hij niet meer terug kan vechten. Hij is gebroken, een schim van de gewelddadige, dronken man die hij ooit was, en hij sluit dan ook verslagen zijn ogen als ik de lamp boven mijn hoofd hef.

De adrenaline pompt in mijn oren terwijl ik de lamp steeds steviger vastgrijp. Ik zoek naar de perfecte plek om toe te slaan, in de wetenschap dat ik nog maar enkele centimeters verwijderd ben van mijn droom.

Geen idee waarom ik op dat moment aarzel. Misschien omdat ik de tweeling voel toekijken, misschien ook omdat ik gewoon uitgeput ben. Hoe dan ook pauzeer ik even om om te kijken naar waar ze bij elkaar gekropen zijn. En zodra ik ze zie, hun ogen zie, weet ik dat ik hem niet nog een keer kan slaan.

De blik in hun ogen is vol van angst en het is een angst die ik maar al te goed ken. Het is de angst die ik elke keer voelde als Shaun bij me in de buurt gekomen was. En nu is dit ook hun angst geworden, terwijl ze naar me kijken, de lamp in mijn hand, klaar om toe te slaan.

Met een zucht laat ik mijn arm zakken en de lamp op de grond glijden.

Dat is het.

Al het geweld, al het vechten.

Klaar.

Ik wil het niet meer, wil niet dat ze er getuige van zouden zijn, zouden gaan denken dat dit normaal is.

In plaats daarvan veeg ik het bloed van mijn mond en probeer te glimlachen, hoewel het er waarschijnlijk nogal treurig uitziet.

'Louie? Heb je die telefoon nog ergens?'

Louie knikt, zijn ogen nog steeds vol angst.

'Mooi. Dan wil ik graag dat je nu Ronnie belt. Je kent het nummer. Zeg hem dat ik hier ben en dat hij ons moet komen ophalen.'

'Waar gaan we dan heen, Billy?' vraagt Lizzy, haar gezicht nat van de tranen.

'Eerst maar eens naar huis,' antwoord ik, met een brok in mijn keel. 'We gaan naar huis.'

# 32

Achteraf konden we er bijna weer om lachen.

Maar in het begin was het alleen maar afschuwelijk.

Terwijl we op de komst van de Kolonel wachtten, bleef ik over Shaun heen gebogen staan, uit angst dat hij bij zou komen en ons opnieuw aan zou vliegen. Maar hoewel hij lag te kreunen en over zijn gehavende gezicht wreef, deed hij geen pogingen om overeind te komen.

Ronnie bleek niet alleen. Hij arriveerde in het gezelschap van een stuk of vijf smerissen, een soort senioren SAS-peloton. De agenten waren duidelijk een beetje uit het veld geslagen toen ze mij zagen, een bebloede versie van de jongen waarnaar ze op zoek geweest waren, en even was ik bang dat ze me meteen in de boeien zouden slaan. Maar toen nam de Kolonel de leiding en, eerlijk is eerlijk, dat deed hij goed. Bijna leek het alsof *hij* de bevelhebbende officier ter plekke was, zoals hij de smerissen meteen richting Shaun leidde, in plaats van naar mij.

Het duurde een paar minuten voordat ze hem geboeid en overeind hadden, en ik zag hoe de tweeling nog verder achter Annie ging staan, toen hij door de deur geleid werd, dingen lallend die alleen hij waarschijnlijk begreep. Pas toen de deuren van het overvalbusje gesloten waren en het de straat uit reed, durfden ze weer tevoorschijn te komen, hun gezichten nat van de tranen.

De minuten daarna waren een allegaartje van sirenes en mensen, waarbij de kamer vol liep met politiemensen, verplegers en maatschappelijk werkers. Dawn keek alsof ze middenin haar ergste nachtmerrie terecht gekomen was en toen ze Annie zag, nog altijd ineengedoken op de grond, was ik even bang dat ze zelf behandeld zou moeten worden.

De verplegers probeerden Annie te helpen, maar werden daarbij gehinderd door de tweeling, die zich nog altijd aan haar vastklampte. Zodra ze hen weg probeerden te halen, begonnen ze nog harder te huilen, waardoor Annie op haar beurt de verplegers weer wegduwde.

Ik hurkte naast ze en sloeg mijn armen om ze heen.

'Annie moet nu even onderzocht worden,' zei ik zacht. 'Het komt allemaal goed, maar jullie moeten haar echt eventjes loslaten, oké?'

Met tegenzin liepen ze met me mee, hoewel Lizzie weigerde om haar moeder ook maar een seconde uit het oog te verliezen.

Ik liet ze plaats nemen op de bank en controleerde of alles in orde was met ze. Opgelucht stelde ik vast dat ze, op de kleine blauwe plek op Louies wang na, allebei ongedeerd leken te zijn.

Van Annie kon helaas niet hetzelfde gezegd worden. Ze gilde het uit toen haar ribben aangeraakt werden en haar ademhaling kwam snel en moeizaam. Het was duidelijk dat ze naar het ziekenhuis moest, maar de tweeling reageerde niet echt goed, toen Dawn het ze vertelde. Lizzie rende weer naar haar moeder toe, pakte wanhopig haar hand en weigerde die los te laten.

'Het is al goed, Lizzie,' fluisterde Dawn. 'Jij en Louie kunnen gewoon met mama mee naar het ziekenhuis. Dan kunnen jullie ook meteen even onderzocht worden.'

Zodra Annie naar de ambulance gebracht was, met de tweeling aan haar zijde, verplaatste de aandacht zich naar mij.

'Wat een avond heb jij achter de rug,' zei een van de smerissen, terwijl een verpleger met een lampje in mijn ogen scheen. 'Ik vrees dat je eventjes met ons mee zult moeten komen, om uit te leggen wat er nu allemaal aan de hand is. En dan heb ik het niet alleen over wat zich hier afgespeeld heeft.'

'Ho, ho,' viel Ronnie hem in de reden. 'Deze jongen heeft behoorlijk wat meegemaakt en jullie zien hoe ongerust hij is over de tweeling. Doe me een lol, wil je? Laat hem ook even in het ziekenhuis onderzoeken, dan kan hij meteen kijken of alles goed is met z'n broertje en zusje. Daarna breng ik hem dan wel naar jullie toe, zodat jullie met hem kunnen praten.'

'Maar we moeten hem echt zo snel mogelijk spreken. Hij heeft ons heel wat uit te leggen.'

'Dat realiseer ik me. En ik beloof het. Zodra hij klaar is, komt hij naar jullie toe.'

Er werd weinig gezegd tijdens de rit naar het ziekenhuis.

Hoewel ik wist dat er niets aan de hand was met me, ging ik maar wat graag mee. Het gaf me wat tijd om te bedenken wat ik tegen de politie zou zeggen, maar wat nog belangrijker was: het gaf me de gelegenheid om te kijken hoe het met de tweeling ging.

Die waren behoorlijk overstuur toen we aankwamen. Annies verwondingen bleken erger te zijn dan eerst gedacht was. Iets met innerlijke bloedingen, en dus was ze meteen meegenomen voor verdere onderzoeken, waardoor de tweeling alleen achtergebleven was met Dawn, die er duidelijk moeite mee had om ze rustig te houden.

Na een half uurtje of zo waren ze eindelijk genoeg gekalmeerd om een dokter naar ze te laten kijken, en afgezien van de mentale schok bleek er gelukkig niets met ze aan de hand. Louie's gezicht was weliswaar bont en blauw, maar hij vertoonde geen tekenen van een hersenschudding. De enige littekens die hij eraan over zou houden, zouden die in zijn hoofd zijn.

Dergelijke littekens kende ik maar al te goed en ik wist dat ik tekort geschoten was. Dat, wanneer ik er sneller geweest was, ik ze had kunnen voorkomen.

Zodra iedereen onderzocht was, rees het volgende probleem: hoe moesten ze de tweeling naar huis krijgen zonder mij? Het was tenslotte onmogelijk dat de Kolonel zijn belofte aan de smerissen zou verbreken en Annie ging al helemaal nergens naartoe, in elk geval die avond niet meer.

Ik vond het afschuwelijk, echt waar. Hun reactie toen ze hoorden dat ik naar het politiebureau moest.

Louie pakte me bij mijn middel en toen Ronnie hem probeerde mee te trekken, begon hij te huilen en te gillen. Hij was zo wanhopig dat hij zelfs probeerde om de Kolonel te bijten. En Lizzie was al niet veel kalmer. Zij verzette zich met alle kracht tegen Dawn, totdat een paar verpleegsters haar uiteindelijk via de receptie naar de wachtende auto droegen. Haar geschreeuwde 'Billy' echode pijnlijk na in mijn oren.

Ze hadden me nodig. Nu meer dan ooit. En ik ging naar het politiebureau. Terwijl Ron me naar zijn auto begeleidde, vroeg ik me af of ik die nacht nog wat anders zou zien dan mijn cel.


Ik had het gevoel dat het alweer bijna ochtend was, toen de smerissen eindelijk klaar waren met hun ondervraging. Uiteraard was dat niet zo, maar ze hadden me wel eerst een paar uur laten wachten, voordat ze me het hemd van het lijf vroegen.

Al die tijd zat Ronnie naast me, en maakte van de gelegenheid gebruik door me te vragen wat er nu allemaal gebeurd was voordat hij bij Annie gearriveerd was. Wat ik allemaal gedaan had, om het zover te laten komen.

Hij leek niet eens zo geschokt toen ik het hem vertelde. Ook niet boos. Hij zag er enkel oud en vermoeid uit, en voor de tweede keer in twee dagen leek hij bijna menselijk.

'Ik weet niet wat ik moet zeggen, Bill.' Hij zuchtte en wreef in zijn ogen. 'Ik begrijp gewoon niet wat je dacht, toen je daar inbrak. Wanneer je dat soort dingen doet, kan ik je niet beschermen. Dat weet je toch wel?'

Ik knikte langzaam, terwijl ik mijn ogen op de vloer gericht hield. Het voorval bij Jan en Grant leek inmiddels al wel een week geleden. Ik was er zo op gericht geweest om zo snel mogelijk bij de tweeling te komen, dat het nu pas tot me door begon te dringen waarom ik hier eigenlijk zat, in welke nesten ik mezelf gewerkt had.

Een uur later hoefde ik me geen enkele illusie meer te maken. In niet al te vriendelijke bewoordingen hadden de smerissen me de lijst met dingen opgenoemd, waarvoor ik veroordeeld kon worden: inbraak, diefstal, moedwillige vernieling, geweld, autodiefstal... Tegen de tijd dat ze klaar waren, had ik het gevoel dat ik nooit meer vrij zou komen.

En op dat moment bemoeide Ronnie zich ermee, maar in plaats van me terecht te wijzen, begon hij het voor me op te nemen.

Hij vertelde ze over wat ik allemaal had meegemaakt. Niet alleen over het vertrek van de tweeling, maar ook over hoe ik door Annie in de steek gelaten was, over de mislukte adoptie, over de moeite die ik gedaan had om mijn leven te beteren.

Ik wist niet wat ik hoorde. Was volslagen sprakeloos. Het leek wel alsof hij het over iemand anders had, alsof hij het over een van zijn eigen jongens had. Zijn lieve, lieve jongens.

Tegen de tijd dat hij klaar is, lijken zelfs de agenten te twijfelen, maar helaas niet genoeg om me met een waarschuwend tikje op de vingers te laten gaan.

'We stellen het op prijs dat Billy het de laatste tijd blijkbaar zo goed deed, maar laten we eerlijk zijn, dit is niet de eerste keer dat

we hem moeten aanspreken op vernieling van andermans eigen-
dom. Kijk wat hij gedurende één avond allemaal aangericht heeft.
De ellende die hij die mensen aangedaan heeft. Mensen, die hem
nota bene in het verleden een kans wilden geven. Daar moeten
we zeker rekening mee houden.' Alle ogen zijn nu op mij gericht.
'Je kunt je toch wel voorstellen hoe zij zich nu moeten voelen, of
niet, Billy?'
Ik knik, ondanks alle emoties die op dat moment door mij heen
gaan.
'Ik kan alleen maar zeggen dat je voor nu met Ronnie mee naar
huis mag, maar we roepen je terug zodra we een volledige verklaring van de familie Scott hebben. Je bent over de schreef gegaan, Billy, en dit gedrag kunnen we niet weer met enkel een
waarschuwing afdoen.'


Tijdens de rit naar huis wordt er zo mogelijk nog minder gezegd
dan tijdens de rit naar het politiebureau.
Ik weet dat er geen enkele kans is dat Jan en Grant me dit keer
zouden sparen en nu we weer met z'n tweeën zijn lijkt de Kolonel
plotseling ook een stuk minder vergevingsgezind dan hij in het
gezelschap van de politie geweest is.
Zijn boze zwijgen zegt genoeg en het is een stilte die ik niet durf
te verbreken. Dus wanneer mijn telefoon in mijn broekzak begint
te trillen, weet ik niet hoe snel ik hem uit moet zetten.
De tweeling is veilig thuis. Maar het lijkt erop dat ik er niet lang
van kan genieten.


# 33


Toen ik de volgende ochtend wakker werd, voelde ik me alsof
ik had meegevochten in een oorlog. Ik weet niet wat me het
meeste pijn deed, de klappen van Shaun of het feit dat ik de

nacht op de vloer voor de deur van de tweeling doorgebracht had.

Niet dat er van slapen veel gekomen was. Nadat klootzakken de tweeling uiteindelijk met veel moeite in hun bed hadden weten te krijgen, had ik ze helaas opnieuw wakker gemaakt toen ik nog even bij ze was gaan kijken. Waarmee de Kolonel niet bepaald blij geweest was. Na me nog een keer met een dodelijke blik aangekeken te hebben, was hij naar zijn kantoortje vertrokken. Ik wil niet weten hoeveel nieuw werk ik weer voor hem gecreëerd had.

Uiteindelijk was de tweeling wel weer in slaap gevallen, maar ik had alleen nog maar een beetje kunnen dommelen, waarbij ik gedroomd had dat ik een cel moest delen met Shaun.

Om negen uur word ik gewekt door Ronnie, die een dampende kop thee naast me neerzet.

'Ik dacht dat ik je maar wakker moest maken voordat een van de andere kinderen het zou doen.' Zijn gezicht verraadt niets, maar zijn stem klinkt nog altijd kil. 'Drink dit op en ga dan douchen. Misschien dat je je dan wat beter voelt.'

Hij heeft gelijk. Ik draai het water zo heet als ik kan verdragen en laat de straal op me inwerken, waardoor uiteindelijk de spanning uit mijn schouders verdwijnt. Pas als het water koud begint te worden zet ik de kraan uit, klaar voor alle ellende, die me ongetwijfeld te wachten staat.

De hele dag wordt er weinig tegen ons gezegd. Ronnie brengt het grootste deel van de tijd door in zijn kantoor, en telkens als ik een poging doe om met hem te praten, wuift hij me weg, de telefoon tussen zijn schouder en oor geklemd.

Pas halverwege de middag laat hij zich eindelijk even zien en zelfs dan heeft hij alleen maar aandacht voor de tweeling.

'Oké, jassen aan, jongens. Jullie willen vast wel even bij jullie moeder op bezoek in het ziekenhuis.'

De tweeling sprint naar de garderobe, voor het eerst die dag met een glimlach op hun gezicht.

'En jij blijft binnen, Billy, begrepen? Ik heb de politie beloofd dat ik je huisarrest zou geven, dus ik stel voor dat je je voor één keer eens aan de regels houdt.'

Ik heb sowieso geen zin om weg te gaan. Ik bedoel, waar had ik heen gemoeten? Het is niet dat er nu zo veel mensen zijn, die ik graag wil zien. Niet meer tenminste.

En dus breng ik het volgende uur door op bed en probeer te slapen, maar wanneer dat niet lukt, doe ik mijn telefoon aan en zie het bericht, dat ik de avond ervoor genegeerd heb.

Het is van Daisy:

*Bel me. Ik wist het niet. Dat weet je toch? Het spijt me, D*

Instinctief druk ik op verwijderen, hoewel ik niet weet of het uit woede of uit schaamte is. Wat bedoelt ze? Hoe kan ze beweren dat ze niets wist over Jan en Grant? Hoe kan ze het zich niet gerealiseerd hebben?

Ik probeer onze gesprekken opnieuw in mijn hoofd af te spelen. Probeer me het aantal keren te herinneren, dat ik het over ze gehad heb. Hoe vaak had ik ze bij naam genoemd? Ik moest het wel gedaan hebben, wist alleen niet meer wanneer.

Ik had gehoopt dat ik, door het bericht te verwijderen, er ook niet meer aan zou denken. Dat alle plotselinge twijfels erdoor zouden verdwijnen. Maar zo makkelijk geeft Daisy het niet op. De berichtjes blijven maar komen. Niet elk uur of zo, maar toch zeker een paar keer per dag gedurende de volgende drie dagen:

*Je moet me geloven. Ik wist het niet. Waarom zou ik liegen?*

Al gauw worden ze minder bedaard. Na zo'n vier of vijf berichtjes komt de oude Daisy weer boven:

*Wat is je probleem? Kan de waarheid je dan niets schelen? Denk erover na en bel me*

En wat doe ik?

Ik krop alles op en probeer alleen nog maar aan de tweeling te denken.

Alles voelt even onzeker en ik geloof dat we allemaal nog een beetje in shock zijn.

Vooral de tweeling snapt er helemaal niets meer van en wordt onrustig, zodra zich weer een nieuw gezicht meldt. Je kunt het ze niet kwalijk nemen.

De Kolonel kwam en ging, afhankelijk van zijn diensten, maar bracht veel tijd door achter gesloten deuren aan de telefoon, of in het ziekenhuis met de tweeling. Pas vijf dagen later roept hij ons en Dawn bij elkaar en mijn hart klopt vol verwachting, wanneer hij begint te vertellen waarmee hij al die tijd bezig geweest is.

'Jullie moeten weten hoe vreselijk ik het vind,' begint hij, verdrietig zuchtend, 'wat jullie de afgelopen paar dagen allemaal hebben moeten meemaken. Jullie hebben dit niet verdiend en voor een groot deel is het *onze* schuld. Wanneer we ook maar het kleinste vermoeden gehad hadden dat Shaun nog steeds in de buurt was, dan hadden we het allemaal uiteraard heel anders aangepakt.'

De tweeling schuift dichter naar me toe, opgeschrikt door het noemen van die naam.

'Maar wat we wel zeker weten,' gaat hij verder, 'is dat jullie moeder echt niet wist dat hij langs zou komen. Dat is wel duidelijk, als je kijkt naar hoe ze op alles gereageerd heeft. Ze heeft het er heel erg moeilijk mee, weten jullie dat? Ze had zo lang haar best gedaan om alles weer een beetje op orde te krijgen, maar nu zal ze opnieuw wat tijd nodig hebben, tijd om er zelf weer een beetje bovenop te komen, en waarin wij haar in de gaten kunnen houden.'

'Maar we kunnen haar toch nog wel zien?' vraagt Lizzie.

'Natuurlijk kan dat,' sust Dawn, die vervolgens ook verder gaat. 'Ons plan is nog altijd,' en met die woorden kijkt ze mij met een angstige en spijtige blik aan, 'om jullie twee uiteindelijk weer bij haar thuis te plaatsen. Maar, zoals Ronnie al zei, we weten nog niet wanneer dat weer kan. Het kan over een maand of twee zijn, maar het kan net zo goed nog langer duren. Maar het zal pas gebeuren wanneer jullie moeder het weer aankan en, belangrijker nog, wanneer jullie het weer aankunnen.'

De moed zinkt me in de schoenen, hoewel ik het natuurlijk niet anders verwacht had. Ik had Annies gezicht gezien die avond, de angst in haar ogen, en hoewel ik weet dat ze goed kan acteren, is ze ook weer niet zo'n goede toneelspeelster.

Dawn ratelt nog wat door over ondersteuning en therapie, maar zegt helemaal niets over Jan en Grant in het bijzijn van de tweeling, dit tot mijn grote opluchting.

Noch Ronnie noch ik hadden er ook maar iets over gezegd tegen hen, niet nu ze al zo veel andere dingen te verwerken hadden. Pas toen de tweeling weggestuurd was om nog wat televisie te gaan kijken, ging het gesprek over mij.

'Oké, Bill,' zegt Ron, terwijl hij naar voren leunt in zijn stoel. 'En nu moeten we het nog even over die toestand van jou hebben.'

Ik blijf hem strak aankijken, in de wetenschap dat, wat er ook zou gebeuren, het mijn verdiende loon zou zijn.

'Wat jij bij Jan en Grant gedaan hebt, is onacceptabel. Dat besef je toch, of niet?'

Ik knik langzaam.

'Onacceptabel voor mij, voor hen, maar vooral onacceptabel voor de politie. Of je nu een sleutel had of niet, en geloof me, ik wil niet weten hoe vaak je die al gebruikt hebt, wat jij deed was inbraak. Het is niet langer jouw huis, Billy, begrijp je dat?'

Opnieuw knik ik.

'En dan wat betreft hun auto. Wat dacht je in vredesnaam? Je bent vijftien jaar. Weet je wel wat er gebeurd zou zijn wanneer je een ongeluk veroorzaakt had, waardoor er iemand gewond of zelfs gedood zou zijn? Je realiseert je toch wel hoe erg dit is?'

'Natuurlijk realiseer ik me dat. En het spijt me. Maar toen ik Daisy zag sloeg ik gewoon helemaal door ...'

'Ik wil het niet horen, Bill. Wat de reden ook is, het rechtvaardigt niet wat je gedaan hebt. Wat er ook gebeurd is tussen jou en

Daisy, je zult ermee moeten dealen, want ik heb begrepen dat ze op dit moment wel een vriend kan gebruiken.'

'Hoe bedoel je?', vraag ik, meteen geïnteresseerd. 'Heb je met haar gesproken?'

'Nee, natuurlijk niet. Maar wel met Jan en Grant. Ik geloof dat ik meer met hen gesproken heb in de afgelopen paar dagen dan met m'n eigen vrouw.'

'En wat zeiden ze? Over Daisy?'

Het beeld van haar gezicht, terwijl ze de foto van haar vader glad strijkt, staat me nog duidelijk voor ogen.

'Wanneer je wilt weten hoe het met Daisy gaat, zul je het haar zelf moeten vragen. Maar waar je je nu eerst druk over moet maken is over Jan en Grant. En dan Grant in het bijzonder.'

'Is hij nog altijd kwaad?'

'Dat is nog zacht gezegd, Billy. Ik bedoel, hoe voelde jij je toen je Shaun in Annies huis zag, terwijl hij daar niets te zoeken had?'

Ik durf hem niet aan te kijken, terwijl tot me doordringt wat hij bedoelt.

'Je brak in in zijn huis, gooide een kamer overhoop, viel zijn vrouw aan en stal zijn auto. Je mag nog blij zijn dat hij hier zelf nog niet is langs gekomen.'

'Dus misschien moet ik eens met hem gaan praten?' zeg ik, hoewel ik de gedachte alleen al doodeng vind.

'Ik weet niet of dat zo'n goed idee is, Billy. Niet na al het werk dat Dawn en ik verricht hebben.'

'Hoe bedoel je?'

'Zoals ik al zei, hebben we veel met hem gesproken de laatste tijd, met hen allebei. En we hebben ze zover gekregen dat ze hun aanklacht ingetrokken hebben.'

'Wat?'

'Het was niet makkelijk. Eigenlijk moet je Jan ook meer bedanken dan ons. Zij is degene die Grant heeft weten over te halen.'

Ik voel hoe mijn hele lichaam ontspant, hoewel mijn hoofd tolt.

'Ik snap het niet,' stamel ik. 'Hoe heb je dat gedaan?'

'We hebben ze de waarheid verteld, over de tweeling die terugging naar Annie en hoe vreselijk je dat vond, over hoe je de af-gelopen maanden veranderd was, over dat je het nog geen vijf minuten uit zou houden in detentie, wat je daarvan ook mag denken!'

Ik voel een enorme schaamte, wanneer tot me doordringt wat Ron gedaan heeft. Hij heeft gelijk. Ik zou het niet aankunnen om weg te moeten en eigenlijk had ik dat altijd al wel geweten.

Ronnie haalt me uit mijn gedachten.

'Maar denk nu vooral niet dat hiermee alles afgedaan is. Want het eerste wat jij zo meteen gaat doen is hen de langste, meest op-rechte brief schrijven die je maar kunt, waarin je uitlegt waarom je het gedaan hebt en, belangrijker nog, hoe je het weer goed wilt maken.'

Vragend kijk ik hem aan.

'Je gaat ze terug betalen, Bill. Voor de kapotte camera, voor alle schade in Daisy's kamer en aan hun auto. En je betaalt voor nieuwe sloten in hun huis. Begrijp je me?'

Ik voel me net een rekruut tijdens de training, en ik knik, terwijl ik me afvraag hoe lang het zou duren voordat ik al dat geld bij elkaar zou hebben. Maar ik weet dat alles beter is dan jeugd-detentie.

'Was dat het?' vraag ik, in de wetenschap dat ik heel wat heb om over na te denken.

'Nee. Drie dingen nog, zegt hij bars. 'Ten eerste zul je toch nog naar het politiebureau moeten. De aanklacht mag dan wel zijn in-getrokken, maar ze willen nog steeds een hartig woordje met je spreken over het joyrijden. Dit is echt je laatste kans, Billy. Dat besef je toch hopelijk wel?'

Ik knik zwijgend.

'Het tweede,' voegt hij eraan toe, zijn gezicht nog altijd grimmig, terwijl hij een stap naar voren doet, 'betreft iets, wat Annie mij verteld heeft.'

Ik frons mijn wenkbrauwen, hopend dat dit niet weer een nieuw spelletje is, waarbij ze de tweeling van me probeert af te pakken.

'Ik weet van de lamp, Billy. Ik weet dat je Shaun ermee wilde slaan, maar ik weet ook dat je je bedacht. En ik wilde je vertellen dat ik trots op je bent, dat je die keus gemaakt hebt.'

Ik voel mijn wangen rood worden.

'En weet je waarom ik nog het meest trots ben?'

Ik heb geen idee.

'Omdat je het zes maanden geleden waarschijnlijk wel gedaan zou hebben. Ik denk dat je er toen geen seconde over nagedacht zou hebben. En dat laat zien hoeveel je veranderd bent de afgelopen periode. Ik weet dat je dat zelf misschien nog niet zo ziet, en dat kan ik je ook niet kwalijk nemen, aangezien het zes behoorlijk ingrijpende maanden waren. Maar geloof me, uiteindelijk zul je het zelf ook beseffen.'

Ik draai me om om te vertrekken, in de hoop dat hij gelijk zou hebben.

'Hé. Ik ben nog niet klaar met je.'

Ik kijk hem opnieuw aan, terwijl ik me afvraag wat hij nog meer te zeggen heeft. Maar hij zegt niets.

In plaats daarvan strekt hij zijn hand uit en houdt me een envelop voor. Verbaasd kijk ik ernaar. Er staat niets op geschreven. Helemaal niets.

'Wat is dit?' vraag ik.

Maar de Kolonel glimlacht enkel en duwt me zacht richting de deur.

Het is stil in de garage. Geen andere tehuiskinderen in de buurt. Of klootzakken die met een blik op de klok de laatste minuten van hun dienst zitten af te wachten. Alleen ikzelf en de kleine wereld die Ron hier voor me gecreëerd heeft. Ik had er al behoorlijk wat tijd doorgebracht, sinds alles begonnen was, boksend tegen de zak, alle frustraties eruit slaand.

Het enige verschil was Shaun.

Helemaal verdwenen was hij nog niet.

Hij was er nog altijd, wanneer ik tegen de zak sloeg, maar hij keek niet meer zo smalend als eerst, en ik hoefde me niet meer helemaal kapot te boksen, voordat hij langzaam vervaagde.

Maar vanavond ben ik hier niet om te vechten. Of om te trainen. Vanavond gaat het om de brief. Gaat het over de vraag of ik hem wil openen of niet.

Ik weet wat erin zou staan. Weet dat hij van Grant zou zijn, die me waarschuwt. Om uit de buurt van zijn familie te blijven en zo, en eerlijk gezegd heb ik daar geen behoefte aan. Maar ik weet dat ik hem ook niet ongelezen weg kan gooien. Niet wanneer Ronnie me er zeker naar zou vragen.

En dus steek ik mijn vinger onder de rand en scheur hem open, terwijl mijn blik valt op een handschrift dat toch niet van Grant is.

Al heb ik dit handschrift al wel een keer eerder gezien. In de klas.

*Beste Billy,*

*Niet te geloven dat ik je nu zelfs al een brief schrijf. Ik geloof dat de laatste brief die ik ooit schreef, aan de Kerstman was, en die bracht me nooit waar ik om vroeg. Dus waarom ik nu blijkbaar denk dat het met jou wel gaat lukken – nou ja, om eerlijk te zijn, geen idee. Maar ik moet toch iets proberen.*

*Ik wil dat je één ding begrijpt, Billy.*

*Er is één ding, dat je echt moet geloven.*

*Ik wist het niet van Jan en Grant. Niet dat je ze kende, laat staan dat zij je pleegouders waren. Ik bedoel, hoe had ik dat moeten weten?*

*Altijd wanneer je het over hen had, had je het over 'die' familie, je noemde nooit namen. Het was al moeilijk genoeg voor je om toe te geven dat ze bestonden, laat staan om in detail te treden.*

*Ik zweer je, Billy, als je hun namen genoemd had, of wanneer ik ze uit je had weten te peuteren, denk je dan echt dat ik het dan niet gezegd zou hebben? Denk je echt dat ik dan niet verrast gekeken zou hebben? Bovendien vond ik het altijd fijn om met je samen te zijn.*

*Hoewel je natuurlijk wel irritant bent, altijd maar vragen naar wat er in het verleden met me gebeurd is.*

*Maar weet je?*

*Wanneer het ervoor kan zorgen dat je me zult geloven, dan zal ik het je vertellen.*

*Alles.*

*Mijn vader en moeder zijn dood.*

*Mama stierf toen ik geboren werd en mijn hele leven, zolang als ik me kan herinneren, heb ik al het gevoel dat dat mijn schuld is. En probeer me nu maar niet te zeggen dat dat onzin is. Dat deed mijn vader ook, maar ik raakte het gevoel toch nooit kwijt, weet je. Hoe kon ik?*

*Dus het was altijd mijn vader en ik.*

*En toen ging hij ook dood, bij een auto-ongeluk. En de enige reden dat hij in die auto zat, was ik.*

*En dus ik had het gevoel dat ik hem ook vermoord had. Net als mama. Nu sta ik er dus alleen voor. Nou ja, ik heb natuurlijk Jan en Grant, maar dat is niet genoeg. Dat zal het ook nooit zijn, hoe ze hun best ook doen.*

*Het zou dus fijn zijn als je deze brief uit zou lezen, dan snap je misschien eindelijk dat je mij best kunt vertrouwen. Dat ik de waarheid wel eens zou kunnen spreken.*

*Want weet je, Billy Finn, jij en ik zouden veel aan elkaar kunnen hebben als vrienden.*

*Maar ik ga je niet smeken.*

*En ik zal je ook geen berichtjes meer sturen.*

*Nu is het aan jou.*

*Neem alsjeblieft weer contact op.*

*D x*


Ik geloof dat ik vergat te ademen, terwijl ik las.

In plaats daarvan probeer ik haar woorden te begrijpen, probeer ze te zien in verhouding tot de gesprekken die we gehad hadden.

Tot de keren dat ze zo afwezig geleken had.

Minuten gingen voorbij. Een uur misschien zelfs wel. Maar plotseling weet ik het.

Wat ik moet doen.

Het zou zo gebeurd zijn. Maar ik moet in mijn kamer zijn om het te doen.

En dus sluip ik de garage uit, sluit de deur af en loop terug over het grasveld.

Ik heb veel om over na te denken wanneer ik die avond in bed lig. Alles is anders nu, maar ergens is het ook allemaal hetzelfde gebleven.

De tweeling is terug, maar vertrekt waarschijnlijk ook weer. De Kolonel is er en ik weet dat hij om ons geeft, maar ook dat hij over een paar uur weer terug naar zijn gezin gaat.

En wat mijzelf betreft, nou ja, daaraan is ook weinig veranderd.

Ik ben Billy Finn, tehuiskind.

Ik woon nog altijd in Oldfield House en blijf daar totdat ik er op mijn achttiende uitgetrapt word.

Maar ik weet dat ik een kans gekregen heb. Nog niet wat ik ermee ga doen, maar ik weet dat de kans er is. Ik zou me moeten bewijzen, aan de tweeling, aan Annie en aan Ronnie, en hoewel ik het eng vind, weet ik dat het nu in mijn handen ligt.

Eerder was ik begonnen aan mijn brief aan Jan en Grant, en zoals gewoonlijk had Ronnie zich er weer mee bemoeid, had gezegd dat ik 'nog meer moest slijmen'. Waardoor ik dus weer overnieuw kon beginnen.

Hoewel ik weet dat ik die brief eerst moet schrijven, is de boodschap die ik echt wil overbrengen, voor Daisy, en terwijl ik daar zo op mijn rug in het donker lig te staren, heb ik geen idee waar ik moet beginnen.

Maar wat ik wel weet, is dat ik dat zelf zou moeten uitvinden. Ik weet dat ik haar hoe dan ook moet laten weten dat het me spijt. En die ene oplichtende ster die nu aan mijn plafond hangt zou me eraan helpen herinneren.

# Dank

Bedankt dat je over Billy hebt willen lezen. De zorgen en gevoelens van er niet bij horen die hij in dit verhaal ervaart, zijn
gevoelens waarvan veel mensen, jong en oud, last hebben. Het
belangrijkste is dat je weet dat je hierin niet alleen staat. Er zijn
altijd mensen die kunnen helpen en er bestaan geweldige web-
sites, zoals die van de kindertelefoon, waar goed objectief advies
en steun geboden wordt.

Vele mensen hebben me de afgelopen jaren aangemoedigd en op
me ingepraat, en aan allemaal ben ik veel dank verschuldigd.
Bedankt Boz, Cally, Philippa, lel, Charlie Sheppard, Ali Jensen,
James Heneage en 'Slasher' Gash.
Dank ook aan mijn vrienden, die mijn chagrijn en straatvrees te
lijf gingen met een ongelooflijke humor. In het bijzonder Esther,
Haydn, Oscar, Robyn, Waggy, Finigan, Katy, Matt, Charlie, Kisia,
Scott, Big Bad Brown, Charlotte, Emma (kampioene lichtvlieg-
gewicht van Peckham), David Philips en JJ, Pee Dee, Vic, Zoe,
Lou, Matthew, Nicola, Henry en Anna, Will, Burto, Benton en
Burb.
Enorme dank aan mijn geweldige ouders, Ray en Neet, aan
Jonathan, Hen, Yasmin en alle andere leden van de clan in het
ijzige noorden. Liefs ook voor mijn *outlaws*, Sheil en Pete, Paul en
Jacky voor al hun steun, en aan Bob, Jo, Edie, Pooch en Shreeve-o,
omdat ze me niet al te veel achter de broek zaten.
Iedereen op het werk was zo behulpzaam en geduldig. HEEL
veel dank aan Rob Cox, wiens onophoudelijke aanmoediging er
niet alleen voor zorgde dat ik begon, maar ook dat ik het volhield
('That's right…!'), maar ook aan de fantastische Dawn Burnett,
Ally, Shipp, Shell, Charlotte, Jones Christine Jones, Dominic,

Grainne, Gill, SJV, Sarah, Sophie, Emma (en Ed) voor de rode pen, Nick Stearn, en de altijd even wijze Mr en Mrs C.

Aan Becky Stradwick, die niet meteen begon te kreunen toen ik haar vroeg om de eerste hoofdstukken te lezen – heel erg bedankt. We hebben door de jaren heen al heel wat plannen gemaakt, maar dit was tot nu toe het beste. Dankjewel dat je me zo ver gebracht hebt, voordat je ermee kapte!

Ook ben ik iedereen bij Darley Anderson zeer erkentelijk, in het bijzonder mijn agente Madeleine Buston voor de titel, en voor het feit dat ze Billy op plekken liet komen, waarvan hij nooit gedacht had dat hij ze nog een keer zou bereiken.

Dank ook aan Richard Mac, Helen MS, The Hough, Kevin, Jen, Emily, Annie, Barry, Rachel Airey, Kate Hancock, Claudia Mody, John Newman, Helen Masterton, Trish en Jacky, Graham Marks, Sophie Mckenzie en Jenny Downham. Allemaal waren jullie zo enthousiast, ik hoop dat jullie weten hoezeer ik het waardeer.

Dan nog het publiciteitsteam bij Puffin – hartelijk bedankt. In het bijzonder Sarah, Jennie, Lesley, Kirsty, Jacqui, Katy, en vooral mijn redactrice, Shannon Park, die ronduit fantastisch was.

Heel veel liefs en dank ook aan Dawn, Claire, Dominic, Mally, Dave, Janice, Frank en al mijn oude vrienden van de *Sailors' Families' Society*, en aan Eric de Mel, wiens vriendschap zoveel voor me betekende.

Ook liefs aan Jonny en Astri John-Kamen, die zelf wel weten waarom, en dat hopelijk ook nooit zullen vergeten.

Maar vooral natuurlijk dank aan mijn lieve vrouw, Laura, omdat ze me er altijd aan bleef herinneren dat er ook nog afgewassen moest worden.

En dan nog Albie Johnson en Elsie Jeane, ik hou van jullie. Al is het middenin de nacht...

Gipsy Hill, Juni 2010